KB186785

Korea Poemaro Tradukita
(Korea-Esperanto)

세계인과 함께 읽는 윤동주 시집

Etero kaj Vento kaj Steloj kaj Poemoj

por Teranoj

하늘과 바람과 별과 詩
尹東柱詩集

Korea Poemaro Tradukita
(Korea-Esperanto)

세계인과 함께 읽는 윤동주 시집

Etero kaj Vento kaj Steloj kaj Poemoj por Teranoj

윤동주 지음
VERKIS JUN Dong-Ĝu
장정렬 옮김
TRADUKIS JANG Jeong-Ryeol

진달래 출판사(Eldonejo Azalea)

세계인과 함께 읽는 윤동주 시집 Etero kaj Vento kaj Steloj kaj Poemoj por Teranoj
인　쇄 : 2023년 6월 07일 초판 1쇄
발　행 : 2023년 6월 14일 초판 1쇄
지은이 : 윤동주(JUN Dong-Ĝu)
옮긴이 : 장정렬(Ombro)
펴낸이 : 오태영
출판사 : 진달래
신고 번호 : 제25100-2020-000085호
신고 일자 : 2020.10.29
주　소 : 서울시 구로구 부일로 985, 101호
전　화 : 02-2688-1561
팩　스 : 0504-200-1561
이메일 : 5morning@naver.com
인쇄소 : TECH D & P(마포구)

값 : 15,000원
ISBN : 979-11-91643-92-3(03890)

Enhavo

시인에 대하여

윤동주(尹東柱)는 우리나라 민족시인입니다. **1917**년 중국 동북부 만주에서 태어나 한국과 일본을 오가며 보헤미안 생활을 했습니다. 명동소학교를 졸업하고 숭실중을 다니다가 연희전문학교(문과)를 졸업한 뒤 교토의 도시샤 대학 문학부에서 공부하다가 독립운동 혐의로 체포되었는데, 판결문에는 민족의식을 고취하여 독립을 쟁취하기 위한 구체적인 운동 방침을 논의했다는 사실이 적시돼 있습니다. **1945**년 후쿠오카 감옥에서 사망했습니다. 독극물로 살해되었다고 추정됩니다.

JUN Dong-Ĝu (尹東柱, Yun Dong-Ju) estas konata kiel unu el la naciaj poetoj de la korea popolo. Li naskiĝis en 1917 en Manĉurio, la nordoriento de Ĉinio, kiel filo de koreaj gepatroj, kaj vivis en Koreujo kaj Japanujo kiel bohemiano. Post diplomiĝo de Myeongdong Elementa Lernejo, Soongsil Mezlernejo, Yonhi Kolegio (en fako de literaturo), li eniris en Doshisha Universitato en Kioto en 1942. Japana polico arestis lin pro suspekto pri sendependiga movado. Estas deklarite en la verdikto, ke li diskutis fari specifan kampanjopolitikon por atingi sendependecon per ensorbigo de nacia konscio. Japana imperiismo mortigis lin en 1945 en malliberejo en Hukuoka. Oni suspektas, ke li estis murdita per veneno.

축사

윤동주 시인의 작품 『하늘과 바람과 별과 시』를 원문을 싣고 이를 에스페란토 번역과 함께 하는 출간을 축하드립니다.
일제강점기 암울한 나날을 보내면서도 부끄럽지 않고 하늘을 우러러보길 바랐던 시인 윤동주의 시집이자 고백을 읽으면서 감격이 더해지고 기쁨 또한 더 큽니다.
살면서 느끼는 감정을 시로 쓰다 보니 시 쓰기와 생업이 어렵다는 것을 절실히 깨닫고 늘 겸허하게 내 삶을 돌아봅니다.
기독교적 심정을 바탕으로 어려운 상황 속에서도 회개를 통해 구원을 찾은 윤동주 시인의 마음을 전 세계인들과 나눌 수 있음에 감사드립니다.

또한 장정렬 번역가의 노고에 찬사를 보냅니다.

- 오태영 (시인 및 출판사 대표)

Gratulparolo

Gratulon mi volas doni pro la publikigo de la verko de poeto JUN Dong-Ĝu en Esperanto kaj en Korea lingvo(Hangeul). Mia ĝojo estas pli granda, ĉar mi estas profunde kortuŝita legante la poemaron-korkonfeson de la poeto, kiu travivis la mallumajn tagojn sub japana kolonia regado, tamen esperis rigardi supren al la ĉielo kaj ne havi honton.
Dum mi verkas miajn poemojn montrante la emociojn, kiujn mi sentas en mia vivo, mi senespere rimarkas miajn poemverkon kaj vivtenon malfacilaj, kaj tial ĉiam humile rigardas mian vivon malantaŭen.
Mi dividu, kune kun legantoj tra la mondo, la koron de la poeto JUN Dong-Ĝu, kiu vivis en malbona situacio bazita sur kristana koro kaj serĉis savon per pento.
Fine mi laŭdas la tradukiston JANG pro lia laborego.

- Mateno(poeto kaj eldonisto)

서시(序詩)

죽는 날까지 하늘을 우러러
한점 부끄럼이 없기를,
잎새에 이는 바람에도
나는 괴로워했다.

별을 노래하는 마음으로
모든 죽어가는 것을 사랑해야지
그리고 나한테 주어진 길을
걸어가야겠다.
오늘밤에도 별이 바람에 스치운다.

Preluda poemo

Ĝis morttago mi turmentiĝis,
respekte la eteron,
eĉ je vento tuŝanta foliojn,
por ne esti hontema.

Mi, en koro kantanta stelojn,
amu ĉiun mortantan vivon.
Kaj al mia donita vojo
mi faru iron.

Ĉi-nokte refoje steloj pasas preter vento.

(1941. 11. 20.)

1부

1934년부터 1937년까지의 시모음

Parto I

La poemoj inter jaroj 1934a ~1937a

초 한 대

초 한 대
내 방에 품긴 향내를 맡는다.

광명의 제단이 무너지기 전
나는 깨끗한 제물을 보았다.

염소의 갈비뼈 같은 그의 몸,
그의 생명인 심지(心志)까지
백옥 같은 눈물과 피를 흘려
불살라 버린다.

그리고도 책상머리에 아롱거리는
선녀처럼 촛불은 춤을 춘다.

매를 본 꿩이 도망하듯이
암흑이 창구멍으로 도망한
나의 방에 품긴
제물의 위대한 향내를 맛보노라.

Unu kandelo

Unu kandelo-.
Mi flaras aromon plenigitan en mia ĉambro.

Antaŭ ol falis altaro de la lumo, mi vidis puran oferaĵon.

Fluigante sian larmon kaj sangon, similajn al blankaj perloj, la kandelo bruligas sian korpon similan al kapra ripo, kaj sian, eĉ, fadenon: tio estas vivo.

Plie, flagrante super skribtablo, la kandelo dancas kiel feino.

Mi gustumas la grandan aromon de la oferaĵo plenigita en mia ĉambro, kie la mallumo forkuris en fenestropaperan truon, kvazaŭ forkuras fazano, kiu ekvidis aglon. (1934.12.24)

삶과 죽음

삶은 오늘도 죽음의 서곡(序曲)을
노래하였다. 이 노래가 언제나 끝나랴

세상 사람은 뼈를 녹여내는 듯한
삶의 노래에 춤을 춘다
사람들은 해가 넘어가기 전
이 노래 끝의 공포(恐怖)를
생각할 사이가 없었다

하늘 복판에 알 새기듯이
이 노래를 부른 자(者)가 누구뇨

그리고 소낙비 그친 뒤 같이도
이 노래를 그친 자가 누구뇨

죽고 뼈만 남은
죽음의 승리자(勝利者) 위인(偉人)들!

Vivo kaj morto

Vivo, ankaŭ hodiaŭ, kantis preludon de morto.
Kiam ĉi-kanto finiĝos?

Ĉiuj homoj dancas laŭ kanto de la vivo, kvazaŭ ostoj degelus.
Homoj ne havis momenton pensi la teruron de fino de ĉi-kanto, antaŭ ol malleviĝis suno.

Kiu kantis ĉi-kanton, kvazaŭ li la kanton gravuriĝas meze de ĉielo?
Kiu, do finis ĉi-kanton, kvazaŭ ĉeso de subita pluvo?

Venkintoj-herooj el morto, kiuj nur restigis ostojn post morto!
(1934.12.24)

내일은 없다

내일 내일 하기에
물었더니
밤을 자고 동틀 때
내일이라고

새 날을 찾은 나는
잠을 자고 돌보니
그때는 내일이 아니라
오늘이더라

무리여! 동무여!
내일은 없나니

Ne estas morgaŭ

- al juna koro demandis-

Mi demandis: "Kiam estas ĝi?,
Ĉar vi ripetas vortojn: 'morgaŭ', 'morgaŭ' "
Li respondis: "Morgaŭ venas, kiam la suno leviĝas post dormo de nokto."

Mi, serĉinta novan tagon,
faris dormon, kaj komprenis;
La tago ne estas morgaŭ,
sed estas hodiaŭ.

Homoj, amikoj!
Ne ekzistas morgaŭ
......

(1934.12.24)

거리에서

달밤의 거리
광풍(狂風)이 휘날리는
북국(北國)의 거리
도시(都市)의 진주(眞珠)
전등(電燈)밑을 헤엄치는
조그만 인어(人魚) 나,
달과 전등에 비쳐
한 몸에 둘셋의 그림자,
커졌다 작아졌다.

괴로움의 거리
회색(灰色)빛 밤거리를
걷고 있는 이 마음
선풍(旋風)이 일고 있네
외로우면서도
한 갈피 두 갈피
피어나는 마음의 그림자,
푸른 공상(空想)이
높아졌다 낮아졌다.

Sur strato

Lunnokta strato-

Nordlanda strato kun freneza vento.

Mi - marhometo naĝanta sub elektraj lampoj, t.e. perloj de la urbo.

Luno kaj elektraj lampoj faras mian korpon jen duombra, jen triombra; jen grande, jen malgrande.

Strato kun turmento.

Tiu ĉi koro kun paŝoj sur griznokta strato.

Blovas turna vento.

Sola ombro de la koro vekas min de penso al penso.

Blua vana penso jen altiĝas, jen malaltiĝas.

(1935.1.18 en la unua provpoemaro)

공상(空想)

공상
내 마음의 탑(塔).
나는 말없이 이 탑을 쌓고 있다
명예와 허(虛)의 천공(天空)에다
무너질 줄도 모르고
한 층 두 층 높이 쌓는다

무한(無限)한 나의 공상
그것은 내 마음의 바다.
나는 두 팔을 펼쳐서
나의 바다에서
자유(自由)로이 헤엄친다
황금(黃金) 지욕(知慾)의
수평선(水平線)을 향하여

Revo

Revo-
turo de mia koro.
Mi senvorte konstruas ĉi-turon.
Mi konstruas ĝin-
alten je unu etaĝo post alia
ĝis ĉielo de vanto kaj de honoro,
ne sciante falon.

Mia senfina revo-
t.e. maro de mia koro.
Mi, etendante miajn du brakojn,
libere naĝas en mia maro
al horizonto de ora scivolo.
(1935.10.)

꿈은 깨어지고

잠은 눈을 떴다
그윽한 유무(幽霧)에서.

노래하든 종달이
도망쳐 날아나고

지난날 봄타령하던
금잔디밭은 아니다.

탑(塔)은 무너졌다
붉은 마음의 탑이-

손톱으로 새긴 대리석탑(大理石塔)이
하루저녁 폭풍(暴風)에 여지(餘地)없이도

오오 황폐(荒廢)의 쑥밭,
눈물과 목메임이여!

꿈은 깨어졌다
탑은 무너졌다.

Rompiĝis sonĝo

Sonĝo malfermis sian okulon.
El profunda nebulo.

Kantinta alaŭdo
forpele flugas.

Ne estas kampo de orgazono
kiu ĝuis sian printempon en pasintaj
tagoj,

Falis turo;
turo de ruĝa koro-.

Marmorturo gravurita per ungoj-
falis senforte pro vespera tajfuno.

Ho, ruingita kampo.
Larmo kaj sufokiĝo!

Rompiĝis sonĝo.
Falis turo.
(1935.10.27.(renovigita 1936.7.27))

남쪽 하늘

제비는 두 나래를 가지었다
시산한 가을날

어머니의 젖가슴이 그리운
서리 나리는 저녁

어린 영(靈)은 쪽나래의 향수를 타고
남쪽 하늘에 떠돌 뿐

Suda etero

Hirundo havas siajn du flugilojn.
Friska aŭtuna tago-.

Vespero en prujno sopirigas mamojn de la patrino-.

Eta animo, rajdante sopiron de unu flugilo, nure vagas en suda etero-.
(1935.10. en Pyeongyang)

가슴 1

소리 없는 북,
답답하면 주먹으로
뚜다려 보오
그래 봐도
후-
가아는 한숨보다 못하오

Brusto 1

Sensonan tamburon
mi korprema
tamburas per pugno.

Tamen,
hu-
tio ne pli bonas ol ĝemo.
(1936. 3.25 en Pyeongyang)

조개껍질

아롱아롱 조개껍데기
울 언니 바닷가에서 주어 온 조개껍데기

여긴여긴 북쪽 나라요
조개는 귀여운 선물 장난감 조개껍데기

데굴데굴 굴리며 놀다
짝 잃은 조개껍데기 한 짝을 그리워하네

아롱아롱 조개껍데기
나처럼 그리워하네
물소리 바닷물 소리

Krustoj de konko
- sopirata de mara sono-

Belaj, belaj konkkrustoj.
-tiujn kolektis mia fratino ĉe maro.

Tie ĉi, tie ĉi
- Norda Lando.
Konko -aminda donaco,
Ludiloj -konkkrustoj.

Rule rule mi ludas tiujn krustojn.
Mi perdis unu partneron el tiuj krustoj.
Ĝin sopiras mia konkkrusto.

Belaj, belaj konkkrustoj sopiras, kiel mi, akvosono kaj marsonon.
(1935.12)

고향집 - 만주에서 부른

헌 짚신짝 끄을고
나 여기 왜 왔노
두만강을 건너서
쓸쓸한 이 땅에.

남쪽 하늘 저 밑에
따뜻한 내 고향
내 어머니 계신 곳
그리운 고향 집.

Hejmloka hejmo,
- kiun mi vokis en Manĉurio-

Kial mi venis ĉi tien,
al soleca loko,
trans rivero Tumangang
preninte malnovajn pajlŝuojn?

Tie sub suda ĉielo-
mia varma hejmloka hejmo.
Tie loĝas mia patrino-
sopirata hejmloka hejmo.
(1936.1.6)

병아리

"삐, 삐, 삐,
엄마 젖 좀 주"
병아리 소리

"꺽, 꺽, 꺽,
오냐 좀 기다려"
엄마닭 소리

좀 있다가
병아리들은
엄마 품 속으로
다 들어 갔지요

Kokidoj

Sono de kokidoj:
"Pjo, pjo, pjo,
panjo, mamon donu."

Sono de panjo-kokino:
"Kek, kek, kek,
jes, iom atendu"

Iom poste
kokidoj ĉiuj,
por suĉi mamon,
eniris en bruston de panjo-kokino.
(1936.11.⟨Katolika Knabo⟩)

오줌싸개 지도

빨래줄에 걸어 논
요에다 그린 지도
지난밤에 내 동생
오줌 싸 그린 지도

꿈에 가본 엄마 계신
별나라 지돈가?
돈 벌러 간 아빠 계신
만주 땅 지돈가?

Mapo de litpisemulo

Mapo pentrita sur litaĵo
alkroĉita en sekigŝnuro-
mapo pentrita pro piso
de mia frato plijuna en pasinta nokto.

Ĉu mapo de la Stellando, kie patrino loĝas, kien mi vizitis en songô?
Ĉu mapo de Manĉurio, kie patro loĝas, kien li vojaĝis por laboro?

(1936, denove 〈Katolika Knabo〉(1937))

창구멍

바람부는 새벽에 장터가시는
우리아빠 뒷자취 보구싶어서
춤을발려 뚫려는 작은창구멍
아롱아롱 아침해 빛이웁니다.
눈나리는 저녁에 나무팔려간
우리 아빠 오시나 기다리다가
혀끝으로 뚫려는 적은 창구멍
살랑살랑 찬바람 날아듭니다.

Fenestrpapera trueto

Kolore vidiĝas matena suno tra fenestrpapera trueto, kiun mi faris per tuŝo de mia salivo por rigardi postan figuron de la patro, kiu ekiras al bazaro en blova frumateno.

Neforte enflugas frosta vento tra fenestrpapera trueto, kiun mi faris per tuŝo de mia langpinto por atendi revenan figuron de la patro, kiu iris vendi brullignojn en neĝanta vespero.

(Unua provo de la poemo 〈Sunradioj, Vento〉)

비둘기

안아보고 싶게 귀여운
산비둘기 일곱 마리

하늘 끝까지 보일 듯이 맑은 공일날 아침에
벼를 거두어 빤빤한 논에
앞을 다투어 모이를 주으며
어려운 이야기를 주고 받으오

날씬한 두 나래로 조용한 공기를 흔들어
두 마리가 나오
집에 새끼 생각이 나는 모양이오

Kolomboj

Sep brakumdezirataj amindaj montkolomboj, en hela dimanĉmateno, kvazaŭ travidata eterfino, sur postrikolta purigita rizkampo, kolektas konkure sian manĝaĵon, kaj babilas sian malfacilan vivon.

Du kolomboj, respektive, per siaj du sveltaj flugiloj flugas tremante kvietan aeron;
Eble tiuj du ekpensas siajn idojn de siaj nestoj.
(1936.02.10)

이별

눈이 오다 물이 되는 날
잿빛 하늘에 또 뿌연 내, 그리고
크다란 기관차는 빼액 울며
조고만 가슴은 울렁거린다
이별이 너무 재빠르다, 안타깝게도
사랑하는 사람을
일터에서 만나자 하고
더욱 손의 맛과 구슬 눈물이 마르기 전
기차는 꼬리를 산굽으로 돌렸다

Forlaso

Tago, kiam neĝas, poste akviĝas.

Griza etero, malpuriĝnta rivereto.

Granda lokomotivo jen krias: 'Pe-ek-',

Eta brusto svenas.

Domaĝe, forlaso de lokomotivo tro rapidas dirante: "Amato, renkontu en laborejo".

Antaŭ ol sekiĝis gusto de varmigitaj manoj kaj perllarmo, la trajno jam kaŝis sian voston ĉe montkurbiĝo.

(1936.3.20)

식권

식권은 하루 세끼를 준다

식모는 젊은 아이들에게
한때 흰 그릇 셋을 준다

대동강(大同江) 물로 끓인 국
평안도(平安道) 쌀로 지은 밥
조선(朝鮮)의 매운 고추장

식권은 우리 배를 부르게

Manĝbiletoj

Manĝbiletoj garantias siajn tri manĝojn po tago.

Manĝservistino donas al junaj geknaboj tri blankajn manĝujojn po manĝo.

Supo boiligita per akvo de rivero Tedongkang.
Rizaĵo boiligita per rizo el provinco Pyeongando.
Kapsiksaŭco Korea tre sala.

Manĝbiletoj satigas niajn ventrojn.
(1936.3.20)

모란봉(牡丹峯)에서

앙당한 소나무 가지에
훈훈한 바람의 날개가 스치고
얼음 섞인 대동강물에
한나절 햇발이 미끌어지다

허물어진 성터에서
철모르는 여아들이
저도 모를 이국말로
재잘대며 뜀을 뛰고

난데없는 자동차가 밉다

En montpinto Moranbong

Preter ostaj branĉoj de pinarbo pasas la flugiloj de agrabla vento; en akvon miksita kun glaciaĵo de rivero Tedongkang, glitas la sunradioj de duontago.

Sur la tero de faligita kastelo senprudentaj knabinoj babilas per si mem en nekonata fremda lingvo, ĝuante ŝalton.

Mi malŝatas aŭtomobilon, kiu subite aperis.

(1936.3.24)

황혼(黃昏)

햇살은 미닫이 틈으로
길쭉한 일자(一字)를 쓰고, 지우고
까마귀떼 지붕 위로
둘, 둘, 셋, 넷, 자꾸 날아 지난다
쑥쑥, 꿈틀꿈틀 북(北)쪽 하늘로
내사
북쪽 하늘에 나래를 펴고 싶다

Vesperkrepusko

La sunradioj, tra interspaco de glitpordo, jen skribas longan literon Unu....jen forskrapas...

Korvoj, duope, duope, triope, kvarope, super tegmentoj, estas sore flugantaj al norda etero.

Mi......
deziras flugi sur norda etero.
(1936. 3.25 en Pyeongyang)

종달새

종달새는 이른 봄날
질디진 거리의 뒷골목이 싫더라
명랑한 봄 하늘
가벼운 두 나래를 펴서
요염한 봄노래가 좋더라
그러나
오날도 구멍 뚫린 구두를 끌고
훌렁훌렁 뒷거리 길로
고기 새끼 같은 나는 헤매나!
나래와 노래가 없음인가
가슴이 답답하구나

Alaŭdo

Alaŭdo en frua printempa tago ne ŝatas kotplenan malantaŭvojon de la vilaĝo.
Alaŭdo en klara printempetero ĝuas allogan printempkanton, malfermante siajn malpezajn flugilojn.

Sed, mi, kvazaŭ fiŝido, eĉ hodiaŭ erarvagas al poststrata vojo, pigre tirante miajn jam truitajn ŝuojn;
Ĉu pro neesto de miaj flugiloj kaj kantoj?
Mi sentas min korprema.

닭 1

—닭은 나래가 커도
왜 날잖나요
—아마 두엄 파기에
홀 잊었나봐.

Koko 1

-Koko havas grandajn flugilojn... tamen ĝi flugas, ĉu ne?

-Koko serĉus ion el sterko....ho, momente ĝi forgesis.

(1936. en unua provpoemaro)

가슴 2

불 꺼진 화(火)독을
안고 도는 겨울밤은 깊었다.
재(灰)만 남은 가슴이
문풍지 소리에 떤다.

Brusto 2

Profundas vintra nokto,
ĉirkaŭigita de estingita fajrujo.

Tremas brusto restigita nur cindro
je sono de fenestropapero.
(1936.7.24.)

산상(山上)

거리가 바둑판처럼 보이고
강물이 배암의 새끼처럼 기는
산 위에까지 왔다.
아직쯤은 사람들이
바둑돌처럼 버려 있으리라
한나절의 태양이
함석지붕에만 비치고
굼벵이 걸음을 하는 기차가
정거장에 섰다가 검은 내를 토하고
또 걸음발을 탄다

텐트 같은 하늘이 무너져
이 거리 덮을까 궁금하면서
좀 더 높은 데로 올라가고 싶다

Sur monto

Grimpis mi sur monto, de kie jen vidiĝas stratoj kiel linioj de goo-plato, jen serpentumas rivero kiel ido de serpento.
Ankoraŭ homoj estas kiel goo-ŝtonoj.

Duontaga suno radias nur al zinka tegmento.
Larvopaŝanta trajno jen haltas en stacio, poste vomante nigran fumon, komencas vojaĝi.

"Ĉu tendsimila etero falus kaj kovrus straton?"
Mi scivolema volas pli alten grimpi monton.

(en la dua provpoemaro)

오후의 구장(球場)

늦은 봄 기다리던 토요일날
오후 세시 반의 경성행 열차는
석탄 연기를 자욱이 품기고
지나가고
한 몸을 끄을기에 강하던
공이 자력을 잃고
한모금의 물이
불붙는 목을 축이기에
넉넉하다
젊은 가슴의 피 순환이 짓고
두 철각(鐵脚)이 늘어진다

검은 기차 연기와 함께
푸른 산이 아지랑이 저쪽으로
가라앉는다

La piedpilka ludejo en posttagmezo

Atendata sabato en malfrua printempo.
Trajno al Seulo je la tria kaj duono en posttagmezo trapasas brue kun plena monto de karbofumo.

La pilko, kiu fortas je tiro de unu korpo, perdas magnetforton.
Buŝo da akvo sufiĉas je malsekiĝo de brulanta gorĝo.
Sangcirkulo en juna brusto oftiĝas, du piedoj longiĝas.

Verda monto kune kun nigra fumo de trajno sinkas al tiu direkto kun varma vaporo.

(1936.5)

이런 날

사이좋은 정문의 두 돌기둥 끝에서
오색기와 태양기가 춤을 추는 날
금을 그은 지역의 아이들이
즐거워하다
아이들에게 하루의 건조한 학과로
해말간 권태가 깃들고
'모순(矛盾)' 두 자를 이해치 못하도록
머리가 단순하였구나
이런 날에는
잃어버린 완고하던 형을
부르고 싶다

Ĉi tia tago

Tage, kiam dancas flago Kvinkolora kaj flago Suna, fine de ambaŭ ŝtonkolonoj de intima pordo, geknaboj farantaj liniojn fariĝas gajaj.

Al tiuj geknaboj nestas la klara enuo pro tedigaj tagaj lecionoj,

Kapoj de la geknaboj estis tiel simplaj, ke ili ne povu kompreni signifon de la vorto antinomio.

En ĉi-tia tago la perditan obstinan fraton mi volas voki.

(1936.6.10)

양지쪽

저쪽으로 황토 실은 이 땅 봄바람이
호인(胡人)의 물레바퀴처럼
돌아 지나고
아롱진 사월 태양의 손길이
벽을 등진 넓은
가슴마다 올올이 만진다
지도째기 놀음에
뉘 땅인 줄 모르는 애들이
한 뼘 손가락이 짧음을 한함이여
아서라! 가뜩이나 얇은 평화가
깨어질까 근심스럽다

Suna loko

Printema vento en tiu ĉi tero, portanta flavan teron al tiu loko, pasas turnante, kiel la radoj de muelilo de ĉinoj,

Sunaj manoj de mikskolorigita aprilo tuŝas plenplene ĉiun bruston rankoran dorsapogitan je muro.

Kiel rankoras du knaboj, en ludo de maprompo, pro mallongo de siaj fingroj de mano, sensciante kies posedanton de la terpeco!

Ho! mi timzorgas, ĉu tre maldika paco rompiĝus?

(1936. 6. 26)

산림(山林)

시계가 자근자근 가슴을 때려
불안(不安)한 마음을 산림이 부른다.
천년(千年) 오래인 연륜(年輪)에 짜들은 유암(幽暗)한 산림이,
고달픈 한 몸을 포옹(抱擁)할 인연(因緣)을 가졌나보다.

산림의 검은 파동(波動) 위로부터
어둠은 어린 가슴을 짓밟고
이파리를 흔드는 저녁바람이
솨-, 공포(恐怖)에 떨게 한다.
멀리 첫여름의 개구리 재질댐에
흘러간 마을의 과거(過去)는 아질타.
나무 틈으로 반짝이는 별만이
새날의 희망(希望)으로 나를 이끈다

Monta arbaro

Monta arbaro vokas mian maltrankvilan koron, pro peza batado de la horloĝo.
Monta arbaro densa, velkinta je aĝradoj de mil jaroj, havus apinecon brakumi unu vivmalfacilan korpon.

De sur nigra ondado de monta arbaro, la mallumo tretas etan bruston, la vespervento, ŝa-, skuanta foliojn, terurigas min.

De fore frua somero kvakoj de ranoj svenigas forfluitan pasintecon de la vilaĝo.
Nur steloj brilantaj inter arboj kondukas min al la espero de nova tago.

(1936. 6. 26.)

곡간(谷間)

산들이 두 줄로 줄달음질 치고
여울이 소리쳐 목이 잦았다.
한여름의 햇님이 구름을 타고
이 골짜기를 빠르게도 건너련다.

산(山)등아리에 송아지 뿔처럼
울뚝불뚝히 어린 바위가 솟고,
얼룩소 보드라운 털이
산등서리에 퍼-렇게 자랐다.

삼년(三年) 만에 고향(故鄕)에 찾아드는
산골 나그네의 발걸음이
타박타박 땅을 고눈다.
벌거숭이 두루미 다리같이......

헌신짝이 지팡이 끝에
모가지를 매달아 늘어지고,
까치가 새끼의 날발을 태우려
푸르륵 저 산(山)에 날 뿐 고요하다.

갓 쓴 양반 당나귀 타고 모른 척 지나고,
이 땅에 드물던 말 탄 섬나라 사람이
길을 묻고 지남이 이상(異常)한 일이다.

다시 골짝은 고요하다 나그네의 마음보다.

Intervalo

Montoj konkuras je siaj du linioj,
Krio de rapidfluo faras sonon de kolo.
Rajdante sur nubo, somermeza suno provas transpaŝi rapide ĉi-valon.

Montotalie aperas junaj rokoj pitoreskaj, kvazaŭ kornoj de bovido. Montotalie ver-de kreskas molaj haroj de nigra-blanka bovo.

Paŝoj de vojaĝanto de valo, kiu vizitas sian hejmlokon, post tri jaroj, celas al tero. kiel nudaj kruroj de gruo.....

En pinto de apogbastoneto pendas koloj de malnovaj ŝuoj longe.
Pigo nur flugas por fari flugekzercon por sian idon. Valo trankvilas.

Sinjoro kun chapelo sensciate pasas sur azeno. Strangas en tiu chi tero, ke nekonata insulano sur chevalo demandas sian vojon.

Invervalo refoje trankvilas, kvazaŭ koro de la vojaĝanto. (1936. somero)

빨래

빨랫줄에 두 다리를 드리우고
흰 빨래들이 귓속 이야기하는 오후
쨍쨍한 칠월 햇발은 고요히도
아담한 빨래에만 달린다

Lavaĵo

Posttagmeze, kiam blankaj lavaĵoj, unu apud alia, flustras ĉe siaj najbaraj oreloj, etendigante siajn du krurojn sur sekigŝnuro.

Kvietege, fortegaj juliaj sunradioj kuras nur al ĉarmaj lavaĵoj.

(1936)

가을밤

굿은비 내리는 가을밤
벌거숭이 그대로
잠자리에서 뛰쳐나와
마루에 쭈구리고 서서
아이인양 하고
솨, 오줌을 쏘오

Aŭtuna nokto

Aŭtuna nokto kun ĝena pluvo.
Mi, sen vestaĵo,
elkuras el lito el dormĉambro,
kaŭrstare en planko,
kvazaŭ bebo,
ŝa-, pafas pison.
(1936.10.23)

빗자루

요오리 조리 베면 저고리 되고
이이렇게 베면 큰 총 되지
  누나하고 나하고
  가위로 종이 쓸았더니
  어머니가 빗자루 들고
  누나 하나 나 하나
  엉덩이를 때렸소
  방바닥이 어지럽다고-

  아아니 아니
  고놈의 빗자루가
  방바닥 쓸기 싫으니
  그랬지 그랬어

괘씸하여 벽장 속에 감췄드니
이튿날 아침 빗자루가 없다고
어머니가 야단이지요

Balailo

Se ĉi-tiel, tiel mi tondas, iĝas ĉemizo.

Se ĉi-tiel tondas, iĝa granda pafilo.

Fratino pliaĝa kaj mi tondis paperon per tondilo.

Patrino per balailo batis unufoje min, alifoje fratinon pliaĝan ĉe sidvangoj, respektive.

Pro tio, ke malordiĝas ĉambroplanko-.

'Ne, n-e. tiu aĉa balailo ne deziris balai ĉambroplankon, egale, egale.‘

Tial mi, abomene, kaŝis tiun balailon en muroŝranko.

En sekvanta mateno, patrino riproĉas, ke ne troveblas balailo.

(1936.9.9.〈Katolika Knabo〉(1936.12))

햇비

아씨처럼 나린다.
보슬보슬 햇비
맞아 주자 다같이

  옥수숫대처럼 크게
  닷자 엿자 자라게
  햇님이 웃는다
  나보고 웃는다.

하늘다리 놓였다
알롱알롱 무지개
노래하자 즐겁게

  동무들아 이리 오나
  다같이 춤을 추자
  햇님이 웃는다
  즐거워 웃는다.

Pluvo kun suno

Pluvas kiel fraŭlino
Bosl-bosl nova pluvo
Pluviĝu, kaj ni, ĉiuj
Grandiĝu kiel majzarbo,
kreskiĝu tiom kvin Ĝa, ses Ĝa[1)]
Ridas la suno,
Ridas al mi.

Aperas ĉielponto.
Diverskolora ĉielarko
Kantu gaje.
Geamikoj, venu ĉi tien!
Ni kune dancu
Ridas la suno.
Gajas la suno.
(1936.9.9)

1) traduknoto: Ĝi, Korea mezurunuo, egalas al 30.303 cm.

비행기

머리에 프로펠러가
연잣간 풍체보다 더 빨리 돈다.
따에서 오를 때보다
하늘에 높이 떠서는
빠르지 못하다
숨결이 찬 모양이야.
비행기는—
새처럼 나래를
펄럭거리지 못한다
그리고 늘- 소리를 지른다
숨이 찬가 봐

Aviadilo

La helico ĉe kapo
pli- rapide turniĝas
ol ventumilo de muelejo.

Aviadilo en etero,
ne pli rapidas
ol en ekflugo el tero.
-Eble ĝi malfacilus spiri.

Aviadilo-
ne povas movi siajn flugilojn,
samkiel tiujn de birdo,
kaj ĉiam-
faras sian sonon.
Eble ĝi malfacilus spiri.
(1936.10. komenco)

굴뚝

산골작이 오막사리 낮은 굴뚝엔
몽기몽기 웨인연기 대낮에 솟나.

감자를 굽는게지 총각애들이
깜박깜박 검은 눈이 모여 앉어서
입술에 꺼멓게 숯을 바르고
옛이야기 한 커리에 감자 하나씩.

산골작이 오막사리 낮은 굴뚝엔
살랑살랑 솟아나네 감자 굽는내.

Kamentubo

Kial tage punkte-punkte aperas fumo el malalta kamentubo de vala kabino?

Terpomoj estus bakataj.
Knaboj sidas kun brilaj nigraj okuloj,
kolorigas jam siajn lipojn nigre.
Po unu terpomon je unu rakonto.

Aperas bule-bule gusto de bakataj terpomoj el malalta kamentubo de vala kabino.

(1936. aŭtuno)

무얼 먹고 사나

바닷가 사람
물고기 잡아먹고 살고

산골엣 사람
감자 구워먹고 살고

별나라 사람
무얼 먹고 사나

Per kio oni vivtenas sin?

Ĉemara homo
vivtenas sin per kaptitaj fiŝoj,

Ĉemonta homo
vivtenas sin per bakitaj terpomoj.

Per kio Stellanda homo,
vivtenas sin?

(1936.10.〈Katolika Knabo〉(1937.3))

개 1

눈 위에서
개가
꽃을 그리며
뛰오

Hundo 1

Sur neĝo
hundo
saltas
pentrante floron.
(en mia unua provpoemaro)

봄 1

내 아기
방 아래에서 코올코올.

고양이
주방 난로에서 가릉가릉.

애기 바람이
나뭇가지에서 소올소올.

아저씨 햇님이
하늘 한가운데서 째앵째앵.

Printempo 1

Mia bebo
ĉambrosube dolĉe-dolĉe.

Kato
kuirforne mute-mute.

Beba vento
arbobranĉe blove-blove.

Onkla suno
etermeze brile-brile.
(1936.10)

편지

누나!
이 겨울에도
눈이 가득히 왔습니다
흰 봉투에
눈을 한줌 넣고
글씨도 쓰지 말고
우표도 붙이지 말고
말쑥하게 그대로
편지를 부칠까요?
누나 가신 나라엔
눈이 아니 온다기에.

Letero

Fratino pliaĝa!
Eĉ ĉi-vintre
Plene neĝis.

Ĉu mi per pura,
blanka koverto
nur kun pleno da neĝo
sendu al vi
nek verkinte ion,
nek algluinte poŝtmarkon?

Onidire, ne neĝas
en tiu lando, kien foriris vi, fratino.
(1936)

버선본

어머니,
누나 쓰다 버린 습자지는
두었다간 뭣에 쓰나요?

그런 줄 몰랐드니
습자지에다 내 버선 놓고
가위로 오려
버선본 만드는 걸.

어머니,
내가 쓰다 버린 몽당연필은
두었다간 뭣에 쓰나요?

그런 줄 몰랐드니
천 위에다 버선본 놓고
침 발려 점을 찍곤
내 버선 만드는 걸.

Specimenoj de piedvestoj

Patrino!

Kiel vi utiligos vortekzercan paperon, kiun, post uzo, fratino pliaĝa jam forĵetis?

Tiel mi ne sciis: Vi, lasante miajn piedvestojn sur tiun paperon, faris specimenojn de la piedvesto per tondo de tondilo.

Patrino!

Kiel vi utilogos krajoneton, kiun mi jam kvazaŭ plene uzis?

Tiel mi ne sciis: Vi, lasante piedvestan specimenon sur tukon, notis punktojn per via salivigita krajoneto, kaj jen faris miajn piedvestojn.

(1936.12. komenco)

눈

지난밤에
눈이 소오복이 왔네
지붕이랑
길이랑 밭이랑
추워한다고
덮어주는 이불인가봐
그러기에
추운 겨울에만 나리지.

Neĝo

En pasinta nokto
P-l-e-n-e neĝis.

Ŝajnas, ke neĝo fariĝas litaĵo kovranta tegmentojn, vojojn kaj kampojn, kiuj sentus sin malvarmaj.

Tial neĝo vizitas nur je malvarma vintro. (1936. 12)

사과

붉은 사과 한 개를
아버지 어머니
누나, 나, 넷이서
껍질채로 송치까지
다 - 나누어 먹었소

Pomo

Patro, patrino,
frato kaj mi, -kvarope-,
t-u-t-e ĵus dismanĝis
unu ruĝan pomon;
ĝian ŝelon, eĉ semon.
(1936, en unua provpoemaro)

눈

눈이
새하얗게 와서
눈이
새물새물하오

Okuloj

Neĝis
blanke,

Okuloj
blindiĝas.

호주머니

넣을 것 없어
걱정이던
호주머니는
겨울만 되면
주먹 두 개 갑북갑북.

Poŝoj

Mi zorgis poŝojn,
kiuj malplenas pro ne-enhavaĵo,

Venas vintro.
La poŝoj plenplenas pro ambaŭ miaj pugnoj.
(en la unua provpoemaro)

닭 2

한 간(間) 계사(鷄舍) 그너머 창공(蒼空)이 깃들어
자유의 향토를 잃은 닭들이
시들은 생활을 주잘대고
생산의 노고(勞苦)를 부르짖었다.

음산한 계사에서 쏠려 나온
외래종(外來種) 레구홍,

학원에서 새 무리가 밀려나오는
삼월의 맑은 오후도 있다.

닭들은 녹아 드는 두엄을 파기에
아담한 두 다리가 분주하고
굶주렸던 주두리가 바지런하다.

두 눈이 붉게 여무도록 -

Kokoj 2

Kokoj, forgesintaj sian hejmteron de la libero, pro eternesto trans unu Kan[2] da kokdomo babiladas pri sia malviveca vivo, kaj kriadas maldolĉan klopodon de la nasko.

Kokoj, origine el fremdspeca Leghorn[3], kune elvenas el sia malvarma kokdomo.
Ankaŭ estas klara marta posttagmezo, kiam novicoj elvenas el sia lernejo.

Kokoj okupas sin per siaj du kruroj
por elfosi degeliĝantan sterkon.
Bekoj iliaj diligentas pro sia malsato eĉ tiom, kiom ruĝiĝas iliaj du okuloj.
(1936. printempo)

---

2) traduknoto: unu Kan egalas al spaco (1.18m²)
3) traduknoto: Leghorn estas havennomo en Italio.

황혼(黃昏)이 바다가 되여

하루도 검푸른 물결에
흐느적 잠기고, 잠기고.

저- 웬 검은 고기 떼가
물든 바다를 날아 횡단(橫斷)할고.

낙엽(落葉)이 된 해초(海草)
해초마다 슬프기도 하오.

서창(西窓)에 걸린
해말간 풍경화(風景畫).
옷고름 너어는 고아(孤兒)의 서름.

이제 첫 항해(航海)하는 마음을 먹고
방바닥에 나뒹구오, 뒹구오.

황혼이 바다가 되어
오늘도 수많은 배가
나와 함께 이 물결에 잠겼을게오.

Krepusko fariĝis maro

Unu tago en nigre bluan marondon
milde malforte...dronas,...dronas....

Kies tiu- nigra grupo da fiŝoj
transiras flugante kolorigitan maron?

Marherboj fariĝintaj falintaj folioj,
ĉiuj marherboj sentas sin tristaj.

Klara pejzaĝo pendigita sur
okcidenta fenestro.
Tristo de orfo, kiu lavas jakŝnuron.

Decidinte firman koron por la unua
vojaĝo, mi naĝas sur planko de
ĉambro,...naĝas....

Krepusko fariĝis maro.
Eĉ hodiaŭ multaj ŝipoj dronus kune
kun mi, je ĉi-marondoj.
(1937.1.)

거짓부리

똑,똑, 똑,
문 좀 열어 주세요.
하룻밤 자고 갑시다.
　밤은 깊고 날은 추운데
　거 누굴까?
문 열어 주고 보니
검둥이의 꼬리가
거짓부리한걸.

꼬기요, 꼬기요,
달걀 낳았다.
간난아 어서 집어 가거라
　간난이 뛰어가 보니
　달걀은 무슨 달걀
고놈의 암탉이
대낮에 새빨간
거짓부리 한걸.

Mensogo

"Frap, frap, frap. Bonvolu malfermi pordon, mi deziras loĝi unu nokton ĉe vi."

'Nokto profunda, vetero malvarma, kiu ĉe la pordo?'

Mi malfermis pordon: Jen la vosto de hundo Nigrulo faris mensogon.

"Kokijo, kokijo"

"Ovo naskita. Kannan[4], prenu tuj."

Ŝi rapide iris preni, sed la ovo nenie!

Tiu kokinaĉo, en blanka tago, faris ruĝan mensogon.

(1937.10, 〈Katolika Knabo〉)

---

4) traduknoto: nomo de knabino

둘다

바다도 푸르고
하늘도 푸르고
바다도 끝없고
하늘도 끝없고
바다에 돌 던지고
하늘에 침 뱉고
바다는 벙글
하늘은 잠잠

Ambaŭ

Bluas maro,
bluas etero,

Senfinas maro,
senfinas etero.

Mi ŝtonĵetas al maro,
mi klaĉĵetas al etero,

Ridas maro,
kvietas etero.
(1937, en la unua provpoemaro)

나무

나무가 춤을 추면
바람이 불고
나무가 잠잠하면
바람도 자오

Arbo

Se arbo dancas,
  Vento blovas,
Se arbo trankvilas,
  Vento ankaŭ trankvilas.
    (en unua provpoemaro)

반딧불

가자 가자 가자
숲으로 가자
달 조각을 주으러
숲으로 가자.
　그믐밤 반딧불은
　부서진 달조각.
가자 가자 가자
숲으로 가자
달조각을 주으러
숲으로 가자.

Lampiroj

Iru, iru, iru,
iru al arbaro.
Por preni lunpecojn,
iru al arbaro.

Lampiroj en lasta nokto
de la monato estas rompitaj lunpecoj,

Iru, iru, iru,
Iru al arbaro.
Por preni lunpecojn,
iru al arbaro
(en la unua provpoemaro)

밤

외양간 당나귀
아-ㅇ 외마디 울음 울고,
당나귀 소리에
으-아 아 애기 소스라쳐 깨고,
등잔에 불을 다오.

아버지는 당나귀에게
짚을 한 키 담아 주고,
어머니는 애기에게
젖을 한 모금 먹이고,

밤은 다시 고요히 잠드오.

Nokto

Azeno en stalo
kriegas sole: “A--ang”

Sono de la azeno
vekas neatendite bebon: “E-a”

"Donu fajron al lampo."
Patro donas al la azeno
unu porton da pajloj,

Patrino donas al sia bebo
buŝplenon da mamo.

Nokto refoje trankvile dormas.
(1937.3)

만돌이

만돌이가 학교에서 돌아오다가
전보대 있는 데서
돌짜기 다섯 개를 주웠습니다
전보대를 겨누고 돌 첫개를
뿌렸습니다
　　　　…딱…
두 개째 뿌렸습니다
　　　…아뿔싸…
세 개째 뿌렸습니다
　　　…딱…
네 개째 뿌렸습니다
　　…아뿔싸…
다섯 개째 뿌렸습니다
　　　…딱…,
다섯 개에 세 개 …
그만하면 되었다

내일 시험

다섯 문제에 세 문제만 하면
손꼽아 구구를 하여 봐도
허양 육십 점이다.
볼 거 있나 공차러 가자.

그 이튿날 만돌이는
꼼짝 못하고 선생님한테
흰 종이를 바쳤을까요.
그렇잖으면 정말
육십 점을 맞았을까요.
(1937, 3월 추정)

Mandoli[5]

Mandoli, hejmrevenanta de la lernejo, prenas kvin ŝtonetojn ĉe elektra stango.

Li, celante al tiu stango, ĵetis unu ŝtoneton: -Trafita-

Li ĵetis la duan:-Ve-

Li ĵetis la trian:-Trafita-

Li ĵetis la kvaran:-Ve-

Li ĵetis la kvinan: -Trafita-

Tri el kvin....

Ĉio en ordo.

Morgaŭ ekzameno:

Se solviĝos tri el kvin demandoj-

li kalkulas per la mankalkulsistemo,

Jen 60 poentoj:

'Sufiĉas, mi iru al pilkludo'.

Ĉu en sekva tago, Mandoli donis al instruisto, sensolvinte demandojn, blankan paperon da ekzameno?

Aŭ ĉu vere li akiris 60 poentojn?

---

5) traduknoto: nomo de lernejano

달밤

흐르는 달의 흰 물결을 밀쳐
여윈 나무그림자를 밟으며
북망산(北邙山)을 향한
발걸음은 무거웁고
고독(孤獨)을 반려(伴侶)한 마음은
슬프기도 하다.
누가 있어만 싶은 묘지(墓地)엔 아무도 없고
정적(靜寂)만이 군데군데 흰 물결에 폭 젖었다.

Nokto kun luno

Puŝiĝas blanka ondo de fluanta luno.
Paŝiĝas la ombro de maldika arbo,
Pezas paŝoj al monto Morto, tristas koro akompananta de soleco.

Neniu estas ĉe tomboj, en kiuj iu devus esti, nur silento loke plenakviĝas sub blanka ondo.

(1937.4.15)

풍경(風景)

봄바람을 등진 초록빛 바다
쏟아질 듯 쏟아질 듯 위태롭다.
잔주름 치마폭의 두둥실거리는 물결은
오스라질 듯 한끝 경쾌롭다.

마스트 끝에 붉은 깃발이
여인의 머리칼처럼 나부낀다.

이 생생한 풍경을 앞세우며 뒤세우며
외 -ㄴ 하루 거닐고 싶다.
-우중충한 오월 하늘 아래로
-바닷빛 포기포기에 수놓은 언덕으로.

Pejzaĝo

Verda maro dorse havanta printempan venton danĝeras kvazaŭ elverŝus, kvazaŭ elverŝus.

La ondoj naĝantaj de etaj jupfaldoj plene gajas, kvazaŭ ili falus.

Ruĝa flago pinte de masto flirtas kvazaŭ virina hararo.

*　　　*

Antaŭigante, postigante ĉi-vividan pejzaĝon tu-tan tagon mi deziru paŝi.

-Sub malklaran majan eteron

-al ornamita monteto per maraj briloj.

(1937.5.29)

한난계(寒暖計)

싸늘한 대리석 기둥에 모가지를 비틀어 맨 한란계
문득 들여다볼 수 있는 운명(運命)한 오척육촌(五尺六寸)의
허리 가는 수은주(水銀柱)
마음은 유리관(琉璃管)보다 맑소이다.
혈관(血管)이 단조(單調)로워 신경질(神經質)인 여론동물(輿論動物),
가끔 분수(噴水)같은 냉(冷)침을 억지로 삼키기에
정력(精力)을 낭비(浪費)합니다.

영하(零下)로 손가락질할 수돌네 방(房)처럼 치운 겨울보다 해바라기 만발(滿發)한 팔월교정(八月校庭)이 이상(理想) 곱소이다.
피끓을 그날이-

어제는 막 소낙비가 퍼붓더니 오늘은 좋은 날

씨올시다.

동저고리 바람에 언덕으로, 숲으로 하시구려-

이렇게 가만가만 혼자서 귓속 이야기를 하였습니다.

나는 또 내가 모르는 사이에-

나는 아마도 진실(眞實)한 세기(世紀)의 계절(季節)을 따라-

하늘만 보이는 울타리 안을 뛰쳐,

역사(歷史)같은 포지션을 지켜야 봅니다.

Termometro

La termometro pendigata sin je sia tordita kolo sur malvarma marmorkolono.

La hidrarga kolono, je alteco de kvin Ĉok[6]* ses Ĉon[7], destine tuj travidebla.

La koro estas pli klara ol vitra tubo.

Nervoza opinianimalo pro simpla vejno elspezas sian energion malofte por trude
gluti malvarman montrilon, samkiel fontanon.

Ideale belas Aŭgusta lerneja korto kun plenplenaj sunfloroj, kompare ol malvarmigita vintro, samkiel la ĉambro

---

6) traduknoto: mezurunuo: Ĉok(*cheok) egalas al* 30.3cm
7) traduknoto: mezurunuo: Ĉon *egalas al* 3.03cm

de Sudol, kiu montras subnulan grandon riproĉita.

Tiu tago sangoboligita-.

Hieraŭ elverŝis peza subita pluvo, hodiaŭ bonas vetero.

"Faru al monteto, al arbaro vestante min per vintra jako"-

Ĉi tiel mi kviete-kviete sola flustris.

Mi eĉ en la mia ne sciata momento.

Mi, eble, sekvante la sezonon de vera erao, kurante en palisaron, en kiu mi nur povas eteron rigardi, gardu la pozicion, samkiel la historion.

(1937.7.1)

기왓장 내외

비오는날 저녁에 기왓장내외
잃어버린 외아들 생각나선지
꼬부라진 잔등을 어루만지며
쭈룩쭈룩 구슬피 울음웁니다.
대궐지붕 위에서 기왓장내외
아름답든 옛날이 그리워선지
주름잡힌 얼굴을 어루만지며
물끄러미 하늘만 쳐다봅니다.

Geedzoj Tegoloj

En pluvanta vespero geedzoj Tegoloj
pro la penso de sia perdita solfilo,
karesante kurbigitan dorson de sia
partnero, ploras pluve, ploras triste.

Sur kortega tegmento geedzoj Tegoloj
pro sopiro de sia bela pasinteco,
karesante sulkigitan vizaĝon de sia
partnero, rigardas senkial nur eteren.

(1936)

그 여자(女子)

함께 핀 꽃에 처음 익은 능금은
먼저 떨어졌습니다.

오늘도 가을 바람은 그냥 붑니다.

길가에 떨어진 붉은 능금은
지나는 손님이 집어 갔습니다.

Tiu virino

Unue maturiĝinta pomo el samtempe florantaj floroj, unue falas.

Ankaŭ hodiaŭ senkaŭze ventumas aŭtunvento.

Tiun ruĝan pomon faligita sur vojrando prenis iu paŝanta gasto.
(1937.7.26)

소낙비

번개, 뇌성, 왁자지근 뚜다려
먼 도회지에 낙뢰가 있어만 싶다.
벼루짱 엎어논 하늘로
살같은 비가 살처럼 쏟아진다.
손바닥만한 나의 정원(庭園)이
마음같이 흐린 호수(湖水)되기 일쑤다.
바람이 팽이처럼 돈다.
나무가 머리를 이루 잡지 못한다.
내 경건(敬虔)한 마음을 모셔드려
노아 때 하늘을 한 모금 마시다.

Subita pluvo

Fulmo, tondro, tumulte trafitaj,
nepre riskus fulmobaton en fo-ra urbo.

Arksimilaj pluveroj, falas arke al la
etero, kvazaŭ renversigita tucŝtono

Manplato da mia ĝardeno facile
fariĝas lago neklara, samkiel mia koro.

Vento rondiras kvazaŭ turbo.
Arbo ne povas kontroli sian kapon.

Mi, kolektante mian pian koron,
trinkas unu buŝon da etero en Noa
diluvo.

(1937.8.9)

비애(悲哀)

호젓한 세기(世紀)의 달을 따라
알 듯 모를 듯한 데로 거닐고저!

아닌 밤중에 튀기듯이
잠자리를 뛰쳐
끝없는 광야(曠野)를 홀로 거니는
사람의 심사는 외로우려니.

아, 이 젊은이는
피라밋처럼 슬프구나

Tristo

Sekvata de la luno de kvieta centjaro,
mi paŝu tien, en kiun lokon mi jen scius, jen ne scius.

Soleca estas la koro de la homo, kiu sola paŝas senfinan kamparon, elkurinte de lito, kiel resaltigite en subita noktmezo.

Ha-, ĉi-junulo tristas tiom, kiom piramido.
(1937. 8. 18)

명상(冥想)

가출가출한 머리칼은 오막사리 처마끝,
쉬파람에 콧마루가 서운한영 간질키오.
들창(窓)같은 눈은 가볍게 닫혀
이밤에 연정(戀情)은 어둠처럼 골골이 스며드오.

Penso

Hirtaj haroj estas tegmentrando de kabino, forta vento faras nazdorsojn tiklaj, kvazaŭ tristo.

La okuloj, kvazaŭ levfenestroj, estas kun malfeza fermo, nokta amo faras penetrojn ostaj, kvazaŭ mallumo.

(1937. 8. 20)

산협(山峽)의 오후

내 노래는 오히려
넓은 산울림.

골짜기 길에
떨어진 그림자는
너무나 슬프구나.

오후의 명상(想)은
아- 졸려.

Montgorĝa posttagmezo

Male, mia kanto-
rankora monteĥo.

La ombro falinta
sur montgorĝa vojo
tro tristas.

Penso posttagmeza-
ha- sopiras dormon.
(1937.9)

비로봉(毘盧峰)

만상(萬象)을
굽어 보기란-

무릎이
오들오들 떨린다.

백화(白樺)
어려서 늙었다.

새가
나비가 된다.

정말 구름이
비가 된다.

옷자락이
칩다.

Montpinto Birobong

Malsuprenrigardo
al ĉiuj objektoj-
tremigas min
ĉe genuoj.

Betulo maljuniĝas
kiam ĝi junas.
Birdo
iĝas papilio.
Vere nubo
iĝas pluvo.

Mi sentas malvarmon
ĉe vestrandoj.
(1937.9.)

바다

실어다 뿌리는
바람처럼 시원타.

솔나무 가지마다 새침히
고개를 돌리어 빼들어지고
밀치고
밀치운다.
이랑을 넘는 물결은
폭포처럼 피어오른다.
해변(海邊)에 아이들이 모인다
찰찰 손을 씻고 구보로.
바다는 자꾸 섧어진다.
갈매기의 노래에...

돌아다보고 돌아다보고
돌아가는 오늘의 바다여!

Maro

Eĉ vento agrablas, kiu portante sin disĵetas.

Nekontente ĉiu branĉo de la pinarbo, jen tordiĝas, turnante sian kapon, jen puŝas sin, jen puŝiĝas.

La ondo trans sulkoj floras, kiel kaskado.

Geknaboj al marstrando kolektiĝas, plene purigas siajn manojn, kaj kuras per rapidaj paŝoj.

Maro oftigas sian triston eĉ je kanto de mevoj....

Hodiaŭ maro, kiu revenas
retrorigarde, retrorigarde.

(1937.9 en Ŭonsan Songdowon)

창(窓)

쉬는 시간(時間)마다
나는 창녘으로 갑니다.

-창(窓)은 산 가르침.

이글이글 불을 피워주소,
이 방에 찬 것이 서립니다
단풍잎 하나
맴 도나 보니
아마도 자그마한 선풍(旋風)이 인 게외다.

그래도 싸느란 유리창에
햇살이 쨍쨍한 무렵,
상학종(上學鐘)이 울어만 싶습니다

Fenestro

Mi, en ĉiu ripozo,
iras al fenestro.
-Fenestro estas vivanta instruo.

"Bruligu arde ĉambron; en mia ĉambro ekkovras malvarmo."

Unu acerfolio cirkule flugas;
Tio signifas, ke eble ekblovas turnvento.

Tamen ĉe malvarma vitrofenestro,
radiias arde la suno;
tiam sonorilo de la lerno sonu, mi deziras.
(1937.10)

유언(遺言)

후어 -ㄴ 한 방(房)에
유언은 소리없는 입놀림.

—바다에 진주캐려 갔다는 아들
해녀와 사랑을 속사긴다는 맏아들,
이밤에사 돌아오나 내다봐라—

평생 외롭든 아버지의 운명(殞命)
감기우는 눈에 슬픔이 어린다.

외딴집에 개가 짖고
휘양찬 달이 문살에 흐르는 밤.

Testamento

Testamento en bri-la ĉambro estas sensona diro:

"Rigardu eksteren, ĉu ĉi-nokte revenas hejmen la unua filo, onidire, kiu iris kolekti perlon al maro sed falis amon kun maristino."

Morto de patro, kiu tenis dumvivan solecon. Ekpozas tristo en fermataj okuloj.

Plena luno fluas ĉe krado de fenestro en izolita domo.

Foje bojas hundo.

(1937,10.24, novigita 1939.2.6, tagĵurnalo Ĝoson)

2부

1938년부터 1942년까지 시모음

Parto II

La poemoj inter jaroj 1938a ~1942a

새로운 길

내를 건너서 숲으로
고개를 넘어서 마을로

어제도 가고 오늘도 갈
나의 길 새로운 길

민들레가 피고 까치가 날고
아가씨가 지나고 바람이 일고

나의 길은 언제나 새로운 길
오늘도..., 내일도..
내를 건너서 숲으로
고개를 넘어서 마을로

Nova vojo

Trans rivereto al arbaro,
trans intermonto al vilaĝo.

Mia vojo, nova vojo
kiun mi iris hieraŭ, iros eĉ hodiraŭ.

Floras leontodo, flugas pigo,
paŝas fraŭlino, blovas vento.

Mia vojo estas ĉiam nova vojo,
kaj hodiaŭ... kaj morgaŭ...

Trans rivereto al arbaro,
trans intermonto al vilaĝo.
(1938. 5. 10)

산울림

까치가 울어서
산울림,
아무도 못 들은
산울림,

까치가 들었다.
산울림,
저 혼자 들었다.
산울림.

Eĥo de monto

Pigo ploris, kaj
sekvis eĥo de monto,
neniu aŭdis
eĥon de monto.

Pigo aŭdis
eĥon de monto.
Ĝi sola aŭdis
eĥon de monto.
(1938. 5. 〈〈Knabo〉〉)

슬픈 족속(族屬)

흰 수건이 검은 머리를 두르고
흰 고무신이 거츤 발에 걸리우다.

흰 저고리 치마가 슬픈 몸집을 가리고
흰 띠가 가는 허리를 질끈 동이다.

Trista gento

Blanka tuko tenas nigran hararon, blankaj ŝuoj pendas de nigraj piedoj.

Blankaj ĉemizo kaj juko kovras tristan korpon, blanka ŝnuro forte tenas sveltan talion.

(1938. 9)

비 오는 밤

솨! 철석! 파도 소리 문살에 부서져
잠 살포시 꿈이 흩어진다.

잠은 한낱 검은 고래 떼처럼 살래어,
달랠 아무런 재주도 없다.

불을 밝혀 잠옷을 정성스리 여미는
삼경(三更),
염원(念願).

동경(憧憬)의 땅 강남(江南)에 또 홍수(洪水)질 것
만 싶어,
바다의 향수(鄕愁)보다 더 호젓해진다.

Pluvanta nokto

Ŝa-! Ĉulsok! Maronda sono rompiĝas je fenestrolatisoj, sonĝo dum kvieta dormo disiĝas.

La dormo nure maltrankvilas kvazaŭ aro da nigraj balenoj, talenton konsoli mi ne havas.

Noktmezo, kiam mi, lumiginte, sincere reordigas noktveston,
kaj sopiro:

Mi timas, ĉu refoje inundus Sudo de Rivero -tio estas tero de sopiro, mi sentas solecon pli ol nostalgion al maro.

(1938. 6. 11)

사랑의 전당(殿堂)

순(順)아 너는 내 전에 언제 들어왔던 것이냐?
내사 언제 네 전에 들어갔던 것이냐?

우리들의 전당은
고풍(古風)한 풍습(風習)이 어린 사랑의 전당

순아 암사슴처럼 수정(水晶)눈을 나려감어라.
난 사자처럼 엉크린 머리를 고루련다.
우리들의 사랑은 한낱 벙어리었다

성(聖)스런 촛대에 열(熱)한 불이 꺼지기 전(前)
순아 너는 앞문으로 내달려라.

어둠과 바람이 우리 창(窓)에 부닥치기 전
나는 영원(永遠)한 사랑을 안은 채
뒷문으로 멀리 사라지련다.

이제 네게는 삼림(森林)속의 아늑한 호수(湖水)가
있고
내게는 험준한 산맥(山脈)이 있다.

Paradizo de l'amo

Kiam vi, Suna[8], venis en mian paradizon?

Kiam mi, ho ja, iris en vian paradizon?

Nia paradizo -tiu de l' amo kun klasika moro.

Vi, Suna, fermu viajn kristalokulojn, kvazaŭ korvino.

Mi, ho ja, ordigu miajn neordajn harojn, kvazaŭ leono.

Nia amo estis nur mutulo.

Antaŭ ol brula fajro estingiĝos sur sankta kandelo, vi, Suna, alkuru al antaŭa pordo.

Antaŭ ol mallumo kaj vento kolizos ĉe nia fenestro, mi, brakumanta la eternan amon, malaperu foren tra malantaŭa pordo.

Nun, vi havas komfortan lagon en l' arbaro, mi havas krutan montaron.

(1938. 6. 19)

8) traduknoto: nomo de knabino

이적(異蹟)

발에 터부한 것을 다 빼어 버리고
황혼(黃昏)이 호수(湖水) 우로 걸어 오듯이
나도 삽분삽분 걸어 보리이까?

내사 이 호수가로
부르는 이 없이
불리워 온 것은
참말 이적(異蹟)이었다.

오늘 따라
연정(戀情), 자홀(自惚), 시기(猜忌), 이것들이
자꾸 금(金)메달처럼 만져지는구려

하나, 내 모든 것을 여념(餘念)없이
물결에 씻어 보내려니
당신은 호면(湖面)으로 나를 불러내소서.

Stranga miraklo

Ĉu mi, leĝere-leĝere paŝu, seniginte de la piedoj tabuaĵojn, samkiel vespera krepusko paŝvenas sur surfaco de lago?

Al mi vere stranga miraklo, ke mi venis sen iu vokinto al ĉi-lagrando.

Strange hodiaŭ mi ofte tuŝadas, kiel ormedalojn, ĉi-tiujn: amo, memekstazo, ĵaluzo.

Sed, mi, purigante mian tuton, sen plua penso, sur ondo, volu send;

Vi voku min al surfaco de lago.

(1938. 6. 15)

아우의 인상화(印像畫)

붉은 이마에 싸늘한 달이 서리어
아우의 얼굴은 슬픈 그림이다.

발걸음 멈추어
살그머니 애딘 손을 잡으며
"너는 자라 무엇이 되려니"
"사람이 되지"
아우의 설은 진정코 설은 대답(對答)이다.

슬며시 잡었든 손을 놓고
아우의 얼골을 다시 들여다 본다.

싸늘한 달이 붉은 이마에 젖어
아우의 얼골은 슬픈 그림이다.

Impresbildo de la frato plijuna

Malvarma luno prujnas sur ruĝa frunto de frato plijuna, tristas bildo de lia vizaĝo.

Mi, haltiginte miajn paŝojn, amprenas liajn etajn manojn.

"Kio vi deziras fariĝi, poste?"

"Mi fariĝos homo."

Rankora, vere rankora respondo de la frato plijuna.

Mi, ellasinte silent-e prematajn manojn de la frato plijuna, refoje rigardas lian vizaĝon.

Malvarma luno malsekiĝas sur ruĝa frunto de frato plijuna, tristas bildo de lia vizaĝo.

(1938.9.15,

Tagĵurnalo 〈〈Ĝoson〉〉(10.17))

코스모스

청초(淸楚)한 코스모스는
오직 하나인 나의 아가씨.

달빛이 싸늘히 추운 밤이면
옛 소녀(少女)가 못 견디게 그리워
코스모스 핀 정원(庭園)으로 찾아간다.

코스모스는
귀또리 울음에도 수줍어지고

코스모스 앞에선 나는
어렸을 적처럼 부끄러워지나니

내 마음은 코스모스의 마음이오
코스모스의 마음은 내 마음이다.

Kosmoso

Pura kosmoso
- mia unusola knabino.

Kiam lunlumo sentigas al mi malvarman nokton, mi, sopire tiun knabinon, ekiras al ĝardeno, kie floras kosmoso.

Kosmoso sentas honton eĉ en krio de griloj.
Mi, staranta antaŭ kosmoso, denove sentas honton kiel en infaneco.

Mia koro -tiu de kosmoso,
Kosmoskoro -tiu de mia koro.
(1938. 9. 20)

고추밭

시들은 잎새 속에서
고 빠알간 살을 드러내 놓고,
고추는 방년(芳年)된 아가씬 양
땡볕에 자꼬 익어 간다.

할머니는 바구니를 들고
밭머리에서 어정거리고
손가락 너어는 아이는
할머니 뒤만 따른다.

Kapsikokampo

Kapsikoj, kvazaŭ jam adoleskantaj fraŭlinoj, montrante ĝuste ru-ĝajn haŭtojn el velkiĝintaj folioj, plie maturiĝas sub ardaj sunradioj.

Avino kun korbo malrapide kolektas ĉe rando de la kampo.

Infano kun fingro en sia buŝo nur sekvas poston de la avino.

(1938. 10. 20)

해바라기 얼굴

누나의 얼굴은
　해바라기 얼굴
해가 금방 뜨자
　일터에 간다.

해바라기 얼굴은
　누나의 얼굴
얼굴이 숙어들어
　집으로 온다.

Vizaĝo de sunfloro

Vizaĝo de pliaĝa fratino-
　vizaĝo de sunfloro.
Suno tuj ekleviĝas,
　tiam ŝi iras al laboro.

Vizaĝo de sunfloro-
　vizaĝo de pliaĝa fratino.
Fratino laciĝas,
　tiam ŝi venas al hejmo.
　(en la dua provpoemaro)

햇빛, 바람

손가락에 침 발러
쏘옥, 쏙, 쏙,
장에 가는 엄마 내다보려
문풍지를 쏘옥, 쏙, 쏙.

아침에 햇빛이 반짝,

손가락에 침 발러
쏘옥, 쏙, 쏙
장에 가신 엄마 돌아오나
문풍지를
쏘옥, 쏙, 쏙,

저녁에 바람이 솔솔.

Sunradioj, vento

Bebo per sia fingro kun salivo
f-o-r-t-e, for-te, forte,
por rigardi panjon irantan al bazaro.
eltruigas pordpapero,
t-r-a-f-e, tra-fe, trafe.

Matene sunradioj envenas.

Bebo per sia fingro kun salivo
f-o-r-t-e, for-te, forte,
por rigardi panjon venonta de bazaro,
eltruigas pordpaperon,
t-r-a-f-e, tra-fe, trafe.

Vespere vento venas.

(1938, en la dua provpoemaro)

애기의 새벽

우리 집에는
닭이 없단다.
다만
애기가 젖달라 울어서,
새벽이 된다.

우리 집에는
시계도 없단다.
다만
애가가 젖달라 보채어
새벽이 된다.

Frua mateno de bebo

Koko eĉ ne
troviĝas en mia domo.
Nura ekploro de la bebo
por mampeto,
-tio anoncas fruan matenon.

Horloĝo eĉ ne
troviĝas en mia domo.
Nura ekploro de la bebo
por mampeto,
-tio anoncans fruan matenon.
(en la dua provpoemaro)

귀뚜라미와 나와

귀뚜라미와 나와
잔디밭에서 이야기했다.

귀뚤귀뚤
귀뚤귀뚤

아무게도 알으켜 주지 말고
우리 둘만 알자고 약속했다.

귀뚤귀뚤
귀뚤귀뚤

귀뚜라미와 나와
달 밝은 밤에 이야기했다.

Kaj grilo kaj mi

Kaj grilo kaj mi interparolis en gazona kampo.

Gitulgitul[9)]
Gitulgitul

Ni promesis, ke ni konservu ĝin
kiel sekreton, konigante al neniu.

Gitulgitul
Gitulgitul

Kaj grilo kaj mi interparolis en plenluna nokto.

(en la dua provpoemaro)

9) traduknoto: sono de grilo

달같이

연륜(年輪)이 자라듯이
달이 자라는 고요한 밤에
달같이 외로운 사랑이
가슴하나 뻐근히.
연륜이 피어 나간다.

Samkiel luno

En trankvila nokto,
kiam luno kreskas sin,
samkiel kreskas jarrado,
sola amo, samkiel la luno,
plene da brusto,
ekfloras samkiel jarrado.
(1939. 9)

못 자는 밤

하나, 둘, 셋, 네
....
밤은
많기도 하다

Nedorma nokto

Unu, du, tri, kvar
......
Noktoj
ja multas.
(1941.)

장미(薔薇) 병들어

장미 병들어
옮겨 놓을 이웃이 없도다.

달랑달랑 외로이
황마차(幌馬車) 태워
산(山)에 보낼거나.

뚜-. 구슬피
화수선(火輪船) 태워
대양(大洋)에 보낼거나.

프로펠러 소리 요란히
비행기(飛行機) 태워
성층권(成層圈)에 보낼거나.

이것저것
다 그만두고

자라가는 아들이 꿈을 깨기 전(前)
이내 가슴에 묻어다오.

Rozarbo malsanas

Rozarbo malsanas, tamen
ne estas najbaro transportota.

Ĉu mi ĝin,
sole portante per luma ĉaro, sendu al monto?
Ĉu tu[10]- triste mi ĝin,
portante per vaporŝipo, sendu al oceano?
Ĉu kun brua helico mi ĝin,
portante per aviadilo, sendu al stratosfero?

Aŭ ĉesigu tiun aŭ alian.
Antaŭ ol mia kreskanta filo vekiĝos el sia sonĝo, mi transloĝigu la rozarbon ĉe mia brusto.
(1939. 9.)

---

10) traduknoto: sono de vaporŝipa fajfo

투르게네프의 언덕

나는 계곡을 건너고 있었다……그때 세 少年거지 소년이 나를 지나쳤다.

첫 번째 아이는 잔등에 바구니를 둘러메고, 바구니 속에는 사이다병, 간즈메통, 쇳조각, 헌 양말짝 등(等) 폐물(廢物)이 가득하였다.

둘째 아이도 그러하였다.

세째 소년도 그러하였다.

텁수룩한 머리털 시커먼 얼굴에 눈물 고인 충혈(充血)된 눈, 색잃어 푸르스럼한 입술, 너들너들한 남루(襤褸), 찢겨진 맨발,

아아 얼마나 무서운 가난이 이 어린 소년들을 삼키였느냐!
나는 측은(惻隱)한 마음이 움직이었다.
나는 호주머니를 뒤지었다. 두툼한 지갑, 시계(時計), 손수건,… 있을 것은 죄다 있었다.
그러나 무턱대고 이것들을 내줄 용기(勇氣)는 없었다. 손으로 만지작 만지작 거릴뿐이었다.

다정(多情)스래 이야기나 하리라하고 "애들아" 불러보았다.

첫째 아이가 충혈된 눈으로 흘끔 돌아다 볼뿐이었다.

둘째 아이도 그러할 뿐이었다.

셋째아이도 그러할 뿐이었다.

그리고는 너는 상관없다는듯이 자기(自己)네 끼리 소근소근 이야기하면서 고개로 넘어 갔다.

언덕우에는 아무도 없었다.

짙어가는 황혼(黃昏)이 밀려들뿐.

Monteto de Ivan Turgenev

Mi estis survoje transiranta intermonton.....Tiam tri knaboj-almozuloj preterpasis min.

La unua knabo portis sur sia dorseto la korbon, en kiu plentroviĝas forĵetaĵoj: sodakva botelo, ladskatolo, ferspecoj, kaj jam uzitaj ŝtrumpetoj, ktp.

La dua knabo estis sama, kiel la unua.

La tria knabo estis sama.

Hirtemaj hararoj, nigraj vizaĝoj kun larmitaj hiperemiaj okuloj, kolorperditaj bluetaj lipoj, malpuraj ĉifonvestoj, ŝiritaj nudpiedoj,

Ho, kia terura malriĉeco englutis ĉi-knabojn!

Al mi ekmoviĝis kompatemo.

Mi traserĉis miajn poŝojn: dika papermonujo, horloĝo, mantuko,...: Tie estis ĉio, kio devas esti.

Sed mi, senkonsidere, ne havas kuraĝon donaci ĉi tiujn: Mi nur tuŝadis la miajn per miaj manoj.

Mi vokis ilin nur por ke mi provu intiman babilon kun ili: "Halo, geknaboj!"

La unua knabo, turninte sian kapon, nur rigardis kun hiperemiaj okuloj.

La dua knabo nur faris samon.

La tria knabo nur faris samon.

Kaj poste, ili flustras inter si, kvazaŭ neglektanta min, kaj transiras intermonton.

Sur monteto neniu estis.

Nura densiĝanta vesperkrepusko.

(1936. 9.)

산골물

괴로운 사람아 괴로운 사람아
옷자락 물결 속에서도
가슴속 깊이 돌돌 샘물이 흘러
이 밤을 더부러 말할이 없도다.
거리의 소음과 노래 부를수 없도다.
그신듯이 냇가에 앉았으니
사랑과 일을 거리에 매끼고
가마니 가마니
바다로 가자,
바다로 가자.

La akvo de la valo

Ĉagrenata homo, ĉagrenata homo!

Jen en ondo de vestaĵorando, jen en profunda brusto fluas klarsone fontakvo, ne estas rakontanto kune kun ĉi-nokto.

Ne povas kanti kune kun stratbruo.

Kvazaŭ liniiĝo, mi sidas ĉe la rojo komisiante amon kaj laboron al strato.

Kviete kviete

Iru al maro.

Iru al maro. (en la dua provpoemaro)

자화상(自畫像)

산모퉁이를 돌아 논가 외딴 우물을 홀로 찾어가
선 가만히 들여다 봅니다.

우물속에는 달이 밝고 구름이 흐르고 하늘이
펼치고 파아란 바람이 불고 가을이 있습니다.

그리고 한 사나이가 있습니다.
어쩐지 그 사나이가 미워져 돌아갑니다.

돌아가다 생각하니 그 사나이가 가엽서집니다.
도로가 들여다 보니 사나이는 그대로 있습니다.

다시 그 사나이가 미워져 돌아갑니다.
돌아가다 생각하니 그 사나이가 그리워집니다.

우물속에는 달이 밝고 구름이 흐르고 하늘이
펼치고 파아란 바람이 불고 가을이 있고
추억(追憶)처럼 사나이가 있습니다.

Memportreto

Turninte montkurbiĝon, mi sola vizitis izolitan fonton rande de rizkampo, kaj trankvile rigardas en la fonton.

En la fonto brilas luno, fluas nubo, malfermiĝas etero, blovas vento, kaj estas aŭtuno.

Kaj estas viro.

Mi revenas ial, ĉar la viron mi ekmalŝatis.

Revenanta mi pensas, ke la viron mi ekkompatas.

Retroveninte al la fonto mi trovis, ke la viro ankoraŭ estas.

Mi revenas refoje, ĉar la viron mi ekmalŝatis. Sur la revenvojo mi pensas, ke la viron mi sopiras.

En la fonto brilas luno, fluas nubo, malfermiĝas etero, blovas blua vento, kaj estas aŭtuno, kaj la viro restas kiel rememoro. (1939. 9.)

소년(少年)

여기저기서 단풍잎 같은 슬픈 가을이 뚝뚝 떨어진다. 단풍잎 떨어져 나온 자리마다 봄을 마련해 놓고 나무가지 우에 하늘이 펼쳐있다. 가만이 하늘을 들여다 보려면 눈썹에 파란 물감이 든다. 두 손으로 따뜻한 볼을 씃어보면 손바닥에도 파란 물감이 묻어난다. 다시 손바닥을 들여다 본다. 손금에는 맑은 강물이 흐르고, 맑은 강물이 흐르고, 강물 속에는 사랑처럼 슬픈 얼골 - 아름다운 순이(順伊)의 얼골이 어린다. 소년은 황홀이 눈을 감어 본다. 그래도 맑은 강물은 흘러 사랑처럼 슬픈 얼골 - 아름다운 순이의 얼굴은 어린다.

Knabo

Tie, ĉi tie falas trista aŭtuno, kiel acerfolioj, unu post la alia. Ĉiu loko, kie la acerfolioj falis, jam pretigas la printempon, kaj montriĝas la etero super branĉoj de la arboj. Trankvile mi provas rigardi la eteron, en miajn okulharojn koloriĝas la bluo. Kiam mi per du manoj tuŝas miajn varmajn vangojn, ankaŭ en miajn manplatojn koloriĝas la bluo. Refoje mi enrigardas la manplatojn. El la polmolinioj fluas klara rivero, fluas klara rivero, kaj en la rivero aperas trista vizaĝo kiel la amo -vizaĝo de bela Sun-i[11]. Knabo ravite ekfermas siajn okulojn. Tamen fluas klara rivero, kaj aperas la trista vizaĝo kiel la amo -la vizaĝo de bela Sun-i. (1939)

---

11) traduknoto: nomo de knabino

위로(慰勞)

거미란 놈이 흉한 심보로 병원(病院) 뒷뜰 난간과 꽃밭사이 사람발이 잘 닿지 않는 곳에 그물을 쳐 놓았다. 옥외요양(屋外療養)을 받는 젊은 사나이가 누워서 치어다 보기바르게-

나비가 한마리 꽃밭에 날아 들다 그물에 걸리었다. 노-란 날개를 파득거려도 파득거려도 나비는 자꾸 감기 우기만 한다. 거미가 쏜살같이 가더니 끝없는 끝없는 실을 뽑아 나비의 온몸을 감아 버린다. 사나이는 긴 한숨을 쉬었다.

나이보담 무수한 고생끝에 때를 잃고 병을 얻은 이 사나이를 위로할 말이 - 거미줄을 헝클어 버리는것 밖에 위로의 말이 없었다.
(1940. 12. 3)

Konsolo

Aĉa araneo kun malbona koro faris reton, fore de homaj piedoj, inter postkorta balustrado kaj florĝardeno de hospitalo. Por ke ĝuste rigardu la juna viro, kuŝanta, ricevanta kuracon subĉielan-

Unu papilio flugis celante florĝardenon, sed estis kaptita en tiu reto. Kvankam la papilio baraktas, baraktas siajn fla-vajn flugilojn, ĝi nur pli volviĝas. La araneo iras, kiel arko, kaj per siaj senfinaj, senfinaj fadenoj volvas la tutan korpon de la papilio. La viro elspiras longan spiron.

Ne estas la vortoj, per kiuj, en la fino de sia sennombra sufero kompare de aĝo, ĉi-viro, kiu malsanas perdinte sian tempon, ricevu la konsolon; -la konsolvortojn krom malordigo de tiu aranea reto.

병원(病院)

살구나무 그늘로 얼골을 가리고 병원 뒤뜰에 누워, 젊은 여자(女子)가 흰 옷 아래로 하얀 다리를 드려내 놓고 일광욕(日光浴)을 한다. 한나절이 기울도록 가슴을 앓는다는 이 여자를 찾어 오는 이, 나비 한마리도 없다. 슬프지도 않은 살구나무가지에는 바람조차 없다.

나도 모를 아픔을 오래 참다 처음으로 이곳에 찾어왔다. 그러나 나의 늙은 의사는 젊은이의 병(病)을 모른다. 나한테는 병이 없다고 한다. 이 지나친 시련(試鍊), 이 지나친 피로(疲勞), 나는 성내서는 안된다.

여자는 자리에서 일어나 옷깃을 여미고 화단(花壇)에서 금잔화(金盞花) 한포기를 따 가슴에 꼽고 병실(病室)안으로 사라진다. 나는 그 여자의 건강(健康)이 -아니 내 건강도 속(速)히 회복(回復)되기를 바라며 그가 누웠던 자리에 누어본다.

Hospitalo

Kovrante sian vizaĝon per ombro de abrikotarbo, kuŝiginte sin en postkorto de hospitalo, juna virino sunlumas montrante siajn blankajn piedojn sub blanka vestaĵo. Pli ol dum tagduono, estas neniu, nek papilio, kiu vizitas ĉi-virinon doloranta je la brusto. Ne estas eĉ vento sur netrista branĉo de abrikotarbo.

Suferate longe pro doloro, kiun mi ankaŭ ne scias, mi vizitis por la unua fojo ĉi-hospitalon. Sed mia maljuna kuracisto malsanon de mi, junulo, opinias nekonata. Li opinias, ke mi ne havas malsanon. Ĉi troa proviĝo, ĉi troa laco; mi ne devas koleri min.

Tiu virino, stariginte sin de sia sunluma loko, ordiginte sian veston, kaj kolektinte unu kalendulon el florbedo, metas ĝin sur sian bruston kaj malaperas en sian malsanulĉambron. Dezirante tujan resaniĝon de ŝia malsano - ankaŭ de la mia-, mi ekkuŝas sur ŝian ĵus sunlumigitan lokon. (1940.12)

팔복(八福)

슬퍼하는 자는 복이 있나니
슬퍼하는 자는 복이 있나니
슬퍼하는 자는 봄이 있나니
슬퍼하는 자는 복이 있나니
슬퍼하는 자는 복이 있나니
슬퍼하는 자는 복이 있나니
슬퍼하는 자는 복이 있나니
슬퍼하는 자는 복이 있나니
저희가 영원(永遠)히 슬플 것이오

Ok Feliĉaj

(Mateo ĉapitro 5, 3-12)

Feliĉaj estas la plorantaj,
Feliĉaj estas la plorantaj,
Feliĉaj estas la plorantaj,
Feliĉaj estas la plorantaj,
Feliĉaj estas la plorantaj,
Feliĉaj estas la plorantaj,
Feliĉaj estas la plorantaj,
Feliĉaj estas la plorantaj,
Ni eterne estu la plorantaj.

간판(看板)없는 거리

정거장(停車場) 푸랫폼에
나렸을 때 아무도 없어,

다들 손님들뿐,
손님같은 사람들뿐,

집집마다 간판이 없어
집 찾을 근심이 없어

빨갛게
파랗게
불 붙는 문자(文字)도 없이

모퉁이마다
자애(慈愛)로운 헌 와사등(瓦斯燈)에
불을 혀놓고,

손목을 잡으면
다들, 어진사람들
다들, 어진사람들

봄, 여름, 가을, 겨울,
순서로 돌아 들고.

La strato sen reklampanelo

Neniu estis, kiam mi elvagoniĝis
el la fervoja perono de stacio,

Krom pasaĝeroj; Nur homoj, kvazaŭ pasaĝeroj.

Nenie estas reklampaneloj de domoj,
tial mi ne havas zorgon serĉi domon

Aŭ ruĝe, aŭ blue
sen brulantaj literoj.

Se oni, ĉe anguloj, lumigante afablajn
malnovajn gaslampojn per fajro,
prenas la manojn kun manoj,
ĉiuj -sinceraj homoj,
ĉiuj -sinceraj homoj.

Printempo, somero, aŭtuno kaj vintro
sinsekve returnas.

(1941)

무서운 시간(時間)

거 나를 부르는 것이 누구요,

가랑잎 잎파리 푸르러 나오는 그늘인데,
나 아직 여기 호흡(呼吸)이 남아 있소.

한 번도 손들어 보지 못한 나를
손들어 표할 하늘도 없는 나를

어디에 내 한 몸 둘 하늘이 있어
나를 부르는 것이오.

일을 마치고 내 죽는 날 아침에는
서럽지도 않은 가랑잎이 떨어질텐데...

나를 부르지 마오.

Timiga horo

He, kiu estas vi vokanta min?

Estas ombro aperanta pro bluo de velkintaj folioj, mia spiro ankoraŭ ĉi tie restas.

Min, kiu neniam levis manojn,

Min, kiu ne havas eteron, montrota per manlevo.

Ĉu oni vokas min, kaj ĉu vi havas la eteron, en kiu mia korpo loĝu?

En mateno, kiam mi mortos post fino de laboro, nelamentigaj velkintaj folioj falos...

Min ne voku.

(1941. 2. 7)

눈 오는 지도(地圖)

순이(順伊)가 떠난다는 아침에 말못할 마음으로 함박눈이 나려, 슬픈것처럼 밖에 아득히 깔린 지도우에 덮인다. 방(房) 안을 돌아다 보아야 아무도 없다. 벽(壁)과 천정(天井)이 하얗다. 방 안에까지 눈이 나리는 것일까, 정말 너는 잃어버린 역사(歷史)처럼 홀홀이 가는것이냐, 떠나기 전(前)에 일러둘 말이 있든 것을 편지를 써서도 네가 가는 곳을 몰라 어느 거리, 어느 마을, 어느 지붕밑, 너는 내 마음 속에만 남어 있는 것이냐, 네 쪼고만 발자욱을 눈이 자꼬 나려 덮여 따라갈 수도 없다. 눈이 녹으면 남은 발자욱 자리마다 꽃이 피리니 꽃사이로 발자욱을 찾어 나서면 일년(一年) 열두 달 하냥 내 마음에는 눈이 나리리라.

Mapo neĝata

En la mateno, kiam Sun-i[12] forlasos, kun nedirebla koro flokege neĝis, sur svene volvita mapo kovras la neĝo, kvazaŭ tristo. En la ĉambro rigardata estas neniu. Blankas kaj muro kaj plafono; Ĉu neĝis eĉ en la ĉambro? Ĉu vere vi, kvazaŭ perdita historio, sole forlasas? Kvankam mi, antaŭ ol vi forlasis, verkis la leteron, en kiu mi komentu ion notindan, tamen mi ne scias, kien vi celas; en kiu strato, en kiu vilaĝo, sub kiu tegmento? Ĉu vi deziras resti nur en mia koro?

Mi ne povas sekvi vin, ĉar viajn etajn paŝojn kovras daŭrigita neĝo.

Se neĝo degelos, en ĉiuj lokoj de viaj restigitaj paŝoj burĝonos floroj;

Se mi iras por serĉi viajn paŝojn inter floroj, en mia koro neĝos dum dek du monatoj de la jaro. (1941. 3. 12)

12) traduknoto: nomo de knabino

새벽이 올때까지

다들 죽어가는 사람들에게
검은 옷을 입히시요.

다들 살어가는 사람들에게
흰 옷을 입히시요.

그리고 한 침대(寢臺)에
가즈런이 잠을 재우시오.

다들 울거들랑
젖을 먹이시오.

이제 새벽이 오면
나팔소리 들려 올게외다.

Ĝis frumateniĝo

Vestu ĉiun mortanton
per nigra vestaĵo.

Vestu ĉiun vivanton
per blanka vestaĵo.

Kaj ili dormu unu apud alia
sur unu lito.

Se ĉiuj ploras,
nutru ilin per mamoj.

Nun frumateniĝas,
sekvos trumpetsono.
(1941. 5.)

십자가(十字架)

쫓아오든 햇빛인데
지금 교회당(敎會堂) 꼭대기
십자가에 걸리였습니다.

첨탑(尖塔)이 저렇게도 높은데
어떻게 올라갈수 있을가요.

종(鍾)소리도 들려오지 않는데
휘파람이나 불며 서성거리다가,
괴로왔든 사나이,
행복한 예수 그리스도에게
처럼
십자가가 허락(許諾)된다면

목아지를 드리우고
꽃처럼 피어나는 피를
어두어가는 하늘 밑에
조용히 흘리겠습니다.

La Kruco

Sunradioj pelis,
kaj nun pendas
ĉe la kruco de preĝejpinto.

Kiel ili grimpis tiun pinaklon,
kiu situas tiel alte?

Ne aŭdiĝas eĉ sono de la tintilo,
Mi hezitas nur fajpante,

Se permesus la kruco al mi,
samkiel al la feliĉa Jesuo Kristo;
la viro, kiu turmentis.

Mi, longiganta suben kolon,
silente elfluu
la sangon burĝonanta kvazaŭ floro
sub mallumiĝanta etero.
(1941. 5. 31)

눈감고 간다

태양(太陽)을 사모하는 아이들아
별을 사랑하는 아이들아
밤이 어두웠는데
눈감고 가거라.

가진바 씨앗을
뿌리면서 가거라.
발뿌리에 돌이 채이거든
감었든 눈을 와짝 떠라.

Iru fermante okulojn

Gekanboj, kiuj amas la sunon!
Geknaboj, kiuj amas la stelojn!

Nokto jam mallumas,
vi iru fermante okulojn.

Vi iru, dissemante la semojn,
kiujn vi havas.

Se ŝtono kvazaŭ falus vin ĉe viaj piedpinto, vi, subite, malfermu fermajn okulojn.

(1941. 5. 31)

태초(太初)의 아침

봄날 아침도 아니고
여름, 가을, 겨울,
그런날 아침도 아닌 아침에
빨-간 꽃이 피어났네,
햇빛이 푸른데,
그 전(前)날 밤에
그 전날 밤에
모든것이 마련되었네,

사랑은 뱀과 함께
독(毒)은 어린 꽃과 함께

Pramateno

Matene nek printempa,
nek somera, nek aŭtuna, nek vintra,
nek en mateno de tia tago,
Ru-ĝa floro burĝonas,
sunradioj bluas.
En lasta noko,
en tiu antaŭlasta nokto,
ĉio estis en preparo.
La amo-kune kun serpento,
Veneno-kune kun floreto.
(1941)

또 태초(太初)의 아침

하얗게 눈이 덮이었고
전신주(電信柱)가 잉잉 울어
하나님 말씀이 들려온다.

무슨 계시(啓示)일까.

빨리
봄이 오면
죄(罪)를 짓고
눈이
밝어

이브가 해산(解産)하는 수고를 다하면
무화과(無花果) 잎사귀로 부끄런 데를 가리고
나는 이마에 땀을 흘려야겠다.

Plia pramateno

Neĝo kovras blanke,
telegraffosto ploras plene,
parolo de la Dio aŭdiĝas.

Kiu revelacio?

Se frue
venos printempo,
mi faru kulpon,
miaj okuloj brilos.

Se Eva plenumos malfacilon de sia nasko, kovrante hontindejon per folioj de figarbo,
mi ŝvitu el mia frunto.
(1941.5.31)

돌아와 보는 밤

세상으로부터 돌아오듯이 이제 내 좁은 방에 돌아와 불을 끄옵니다. 불을 켜 두는 것은 너무나 피로롭은 일이옵니다. 그것은 낮의 연장(延長)이옵기에

이제 창(窓)을 열어 공기(空氣)를 바꾸어 들여야 할텐데 밖을 가만히 내다 보아야 방(房) 안과 같이 어두어 꼭 세상같은데 비를 맞고 오든 길이 그대로 비속에 젖어 있사옵니다.

하로의 울분을 씻을 바 없어 가만히 눈을 감으면 마음속으로 흐르는 소리, 이제, 사상(思想)이 능금처럼 저절로 익어 가옵니다.

La nokto vidata, post la reveno

Samkiel reveno el mondo, mi nun revenis al mia ĉambreto, kaj estingas lampon. Ŝalto de lampo estas afero laciga. Ĉar tio estas plilongigo de la tago.

Mi devus ŝanĝi aeron per malfermo de fenestro de ĉambreto, sed, eĉ se mi trankvile rigardas eksteren, mallumo samas kiel ene de ĉambreto, ĝuste similas la mondo. La vojo venata kun pluvo per si mem estas malseka en la pluvo.

Kiam, pro netrovo de metodo elteni koleron de la tago, mi trankvile ekfermas la okulojn, tiam la sono fluata en la koron; Nun, ideo maturiĝas natura, kiel pomo. (1941. 6)

바람이 불어

바람이 어디로부터 불어와
어디로 불려가는 것일까,

바람이 부는데
내 괴로움에는 이유(理由)가 없다.

내 괴로움에는 이유가 없을까.

단 한 여자(女子)를 사랑한 일도 없다.
시대(時代)를 슬퍼한 일도 없다.

바람이 자꼬 부는데
내발이 반석 우에 섰다.

강물이 자꼬 흐르는데
내발이 언덕 우에 섰다.

Vento blovas

De kie vento blovas,
al kie vento blovas?

Vento blovas,
mia turmento ne havas kialon.

Ĉu mia turmento ne havas kialon?

Al mi ne estas afero, ke mi amis eĉ unu virinon.
Al mi nek estas afero, ke mi tristis pro la epoko.

Vento plie blovas,
miaj piedoj staras sur roko.

Rivero plie fluas,
miaj piedoj staras sur monteto.
(1941. 6. 2)

또 다른 고향(故鄕)

고향에 돌아온 날 밤에
내 백골(白骨)이 따라와 한방에 누웠다.

어둔 방(房)은 우주(宇宙)로 통(通)하고
하늘에선가 소리처럼 바람이 불어온다.

어둠 속에서 곱게 풍화작용(風化作用)하는
백골을 들여다 보며
눈물 짓는 것이 내가 우는 것이냐
백골이 우는것이냐
아름다운 혼(魂)이 우는 것이냐

지조(志操) 높은 개는
밤을 새워 어둠을 짖는다.

어둠을 짖는 개는
나를 쫓는 것일게다.

가자 가자
쫓기우는 사람처럼 가자
백골 몰래
아름다운 또 다른 고향에 가자.

Plie alia hejmloko

En tiu nokto, kiam mi revenis hejmlokon, mia blanka osto sekvante min kuŝis en sama ĉambro.

Malluma ĉambro malfermas sin al la universo, vento kvazaŭ sono blovas de etero.

Estas ploranto rigardanta blankan oston, kiu en mallumo bele elfloreskas; ĉu mi ploras, aŭ ĉu blanka osto ploras, aŭ ĉu bela animo ploras?

La hundo, kiu fieras sin je memrespekto, bojas al mallumo dum tuta nokto.

La hundo bojanta al mallumo, kredeble pelas min.

Mi iru, iru,
iru kvazaŭ pelata homo.
Mi, kaŝigite de blanka osto,
iru al plie alia bela hejmloko.

(1941. 9.)

길

잃어 버렸습니다.
무얼 어디다 잃었는지 몰라
두 손이 주머니를 더듬어
길에 나아갑니다.

돌과 돌과 돌이 끝없이 연달아
길은 돌담을 끼고 갑니다.

담은 쇠문을 굳게 닫어
길우에 긴 그림자를 드리우고

길은 아침에서 저녁으로
저녁에서 아츰으로 통했습니다.

돌담을 더듬어 눈물짓다
처다보면 하늘은 부끄럽게 푸릅니다.

풀 한 포기 없는 이 길을 걷는 것은
담 저쪽에 내가 남아 있는 까닭이고,

내가 사는 것은, 다만,
잃은 것을 찾는 까닭입니다.

La vojo

Perdita.

Ne sciante, kion kaj kie mi perdis, palpante poŝojn per du manoj, mi ekmarŝas vojon.

Ŝtono apud ŝtono, plie ŝtono estis senfine ligitaj.

Vojo marŝas prenante ŝtonmuron.

Muro havas firme sian fermitan ferpordon, kovras sian longan ombron sur la vojo.

La vojo, de mateno al vespero,
de vespero al mateno trapasas.
Palpante ŝtonmuron, mi ploras,
kaj vidata etero hontige lazuras.

Tio, ke mi paŝas sur senherba ĉi-vojo, kaŭzas je tio, ke mi restas tie trans la muro.

Tio, ke mi vivas, kaŭzas je tio, ke mi serĉadas la perditaĵojn.

(1941. 9. 30)

별 헤는 밤

계절(季節)이 지나가는 하늘에는
가을로 가득 차 있습니다.

나는 아무 걱정도 없이
가을 속의 별들을 다 헤일 듯합니다.

가슴 속에 하나 둘 새겨지는 별을
이제 다 못헤는것은
쉬이 아침이 오는 까닭이오,
내일(來日) 밤이 남은 까닭이오,
아직 나의 청춘(青春)이 다하지 않은 까닭입니다.

별 하나에 추억(追憶)과
별 하나에 사랑과
별 하나에 쓸쓸함과
별 하나에 동경(憧憬)과
별 하나에 시(詩)와
별 하나에 어머니, 어머니,

어머님, 나는 별 하나에 아름다운 말 한마디씩 불러봅니다. 소학교(小學校)때 책상(冊床)을 같이 했든 아이들의 이름과 풍(佩), 경(鏡), 옥(玉) 또 이런 이국(異國) 소녀(少女)들의 이름과 벌써 애기 어머니된 계집애들의 이름과, 가난한 이웃사람들의 이름과, 비둘기, 강아지, 토끼, 노새, 노루, "푸랑시스 · 짬" "라이넬 · 마리아 · 릴케" 이런 시인(詩人)의 이름을 불러봅니다.

이네들은 너무나 멀리 있습니다.
별이 아슬이 멀듯이,

어머님,
그리고 당신은 멀리 북간도(北間島)에 계십니다.

나는 무엇인지 그리워
이 많은 별빛이 나린 언덕 우에
내 이름자를 써 보고,
흙으로 덮어 버리었습니다.

따는 밤을 새워 우는 버레는
부끄러운 이름을 슬퍼하는 까닭입니다.

그러나 겨울이 지나고 나의 별에도 봄이 오면
무덤 위에 파란 잔디가 피어나듯이
내 이름자 묻힌 언덕 우에도
자랑처럼 풀이 무성할게외다.
(1941. 11. 5.)

Nokto kalkulanta stelojn

En etero, kie preteriras sezonoj, plenas aŭtuno. Mi sen zorgo povus elkalkuli stelojn de aŭtuno.

Kialoj, ke mi nun ne plu povas elkalkuli stelojn gravuratajn, unu post alia, en mia brusto, estas -:

Jen, ke facile venas mateno,
jen, ke restas morgaŭa nokto,
kaj jen ke ankoraŭ ne finiĝas mia juno.

Rememoro al unu stelo,
la amo al unu stelo,
soleco al unu stelo,
sopiro al unu stelo,
poemo al unu stelo,
patrino, patrino al unu stelo,

Patrino, mi provas nomi po unu belan vorton en ĉiu stelo: nomojn de geknaboj, kiuj sidis en sama lerntablo en elementa lernejo; nomojn de fremdlandaj knabinoj: Pe, Kyung, Ok;

nomojn de la knabinoj, kiuj jam patriniĝis naskinte siajn bebon; nomojn de malriĉaj homoj de najbaro; kolombon, hundeton, leporon, hemionon, kapreolon, kaj nomojn de la poetoj: Francis Jammes, Rainer Maria Rilke.

Ili estas tro fore.

Samkiel steloj svenas fore.

Kaj vi, patrino, loĝas fore en norda Gando[13].

Mi, sopirante ion, sur monteto, kien ŝutas multe da stelbriloj, skribis mian nomon kaj kovris tion per teroj.

Okaze, la insekto kiu ploras tutnokte, kaŭzas, ke ĝi sentas sin trista pro sia hontiga nomo.

Sed, se pasos vintro, kaj ankaŭ al mia stelo venos printempo, samkiel sur tombo kreskas verdaj herboj, ankaŭ sur mia monteto, en kiu enteriĝis mia nomo, samkiel fiero abundos herboj.

---

13) traduknoto: tero norde de la rivero Tumangang. Nun ĝi apartenas al Ĉinio, tamen ĝi havas historian teritoriproblemon, al kiu lando ĝi apartenas.

간(肝)

바닷가 햇빛 바른 바위 위에
습한 간을 펴서 말리우자

코카사쓰 산중(山中)에서 도망해 온 토끼처럼
둘러리를 빙빙 돌며 간을 지키자.

내가 오래 기르던 여윈 독수리야!
와서 뜯어 먹어라, 시름없이
너는 살지고
나는 여위어야지, 그러나,
거북이야!
다시는 용궁(龍宮)의 유혹(誘惑)에 안 떨어진다.

프로메테우스, 불쌍한 프로메테우스
불 도적한 죄로 목에 맷돌을 달고
끝없이 침전(沈澱)하는 프로메테우스.

Hepato

Ruligu kaj sekigu humidan hepaton sur sunbana roko ĉe marstrando;
Gardu la hepaton, rondirante la randon, kvazaŭ forkurinta leporo el monto Kaŭkazo.
Vi, malgrasigita aglo, kiun mi bredis longe, venu kaj manĝu, senzorge,
Vi grasiĝu,
mi malgrasiĝu, sed,
Testudo!
Mi ne refoje falu en la tento de la Palaco Drako.

Premeteo, mizera Prometeo.
Prometeo, kiu senfine alfundiĝas,
portante muelŝtonon ĉe sia kolo
pro la peko de fajrŝtelo.

(1941.11.29)

참회록(懺悔錄)

파란 녹이 낀 구리거울속에
내 얼골이 남어 있는 것은
어느 왕조(王朝)의 유물(遺物)이기에
이다지도 욕될까

나는 나의 참회(懺悔)의 글을 한줄에 줄이자
- 만24년(滿二十四年) 일개월(一個月)을
무슨 기쁨을 바라 살아왔는가
내일이나 모레나 그 어느 즐거운 날에
나는 또 한줄의 참회록을 써야한다.
- 그때 그 젊은 나이에
웨 그런 부끄런 고백(告白)을 했든가

밤이면 밤마다 나의 거울을
손바닥으로 발바닥으로 닦어 보자.

그러면 어느 운석(隕石)밑으로 홀로 걸어가는
슬픈 사람의 뒷모양이
거울속에 나타나온다.

La verko de konfeso

Ĉu insultite ĉi tiel, ke mia restanta vizaĝo en verdrusta kuprospegulo estas postrestaĵo de kies dinastio?

Mi mallongigu en unu frazon mian konfesverkon; -Kies ĝojon mi deziris, vivante tute dum dudek-kvar jaroj kaj unu monato?

Morgaŭ, postmorgaŭ, aŭ en iu gaja tago, mi devos verki alian unu frazon da mia konfeso; -Tiam, kial tian hontigan konfeson mi faris en tiu juna aĝo?

Nokto post nokto, mi purigu mian spegulon per manplatoj, per piedplatoj.

Tiam el la spegulo aperos
la posta figuro de trista homo,
kiu iras sola sub faligata aerŝtono.
(1942.1.24)

흰 그림자

황혼(黃昏)이 짙어지는 길모금에서
하루 종일 시들은 귀를 가만히 기울이면
땅검의 옮겨지는 발자취소리,

발자취소리를 들을 수 있도록
나는 총명했던가요.

이제 어리석게도 모든 것을 깨달은 다음
오래 마음 깊은 속에
괴로워하던 수많은 나를
하나, 둘 제고장으로 돌려보내면
거리 모퉁이 어둠속으로
소리 없이 사라지는 흰 그림자,

흰 그림자를 연연히 사랑하던
흰 그림자들
내 모든 것을 돌려보낸 뒤
허전히 뒷골목을 돌아
황혼처럼 물드는 내 방으로 돌아오면
신념(信念)이 깊은 의젓한 양(羊)처럼
하루종일 시름없이 풀포기나 뜯자.

Blanka ombro

Se mi kviete zorgas min je tuttage velkitaj oreloj, ĉe vojangulo, kie la vespera krepusko densiĝas, ĉu mi estis tiel saĝa, ke mi povas aŭskulti tiun sonon de la paŝoj, tiun sonon de paŝoj transportantaj sunombron?

Se nun, malsaĝe, post kiam mi konscias ĉion, mi, multajn miojn, kiuj turmentas min, en la profundo, longe, de koro, revenigas unu post alia al siaj hejmlokoj, la blankaj ombroj - lige amataj blankaj ombroj - sensone malaperantos en mallumon de angulo de la vojo.

Se mi, post revenigo de mia ĉio, turninte malplenkore la malantaŭan vojeton, revenas al mia ĉambro koloriĝanta kvazaŭ krepusko, Samkiel digna ŝafo, kiu havas profundan konvinkon, mi pluku herbojn sentriste dum tago.

(1942.4.14)

흐르는 거리

으스럼히 안개가 흐른다. 거리가 흘러간다. 저 전차(電車), 자동차(自動車), 모든 바퀴가 어디로 흘리워 가는것일까? 정박(定泊)할 아무 항구(港口)도 없이, 가련한 많은 사람들을 실고서, 안개 속에 잠긴 거리는,

거리 모롱이 붉은 포스트상자를 붙잡고 섰을라면 모든것이 흐르는 속에 어렴푸시 빛나는 가로등(街路燈), 꺼지지 않는것은 무슨 상징(象徵)일까? 사랑하는 동무 박(朴)이여! 그리고 김(金)이여! 자네들은 지금 어디 있는가? 끝없이 안개가 흐르는데,

"새로운날 아침 우리 다시 정(情)답게 손목을 잡어 보세" 몇 자(字) 적어 포스트 속에 떨어트리고, 밤을 세워 기다리면 금휘장(金徽章)에 금(金)단추를 삐었고 거인(巨人)처럼 찬란히 나타나는 배달부(配達夫). 아침과 함께 즐거운 내림(來臨),

이 밤을 하염없이 안개가 흐른다.

Fluanta strato

Lunlume fluas nebulo. Fluas strato; kien ĉiu rado de tiu tramo, de aŭtomobiloj flue iras? La strato jen kovrata de nebulo, kiu ne havas havenon por ankri, jen portanta kompantindajn multajn pasaĝerojn.

Kiam mi staras, tenante ruĝan leterkeston ĉe stratangulo, kion signifas, ke ne estingiĝas lunlume brilanta stratlampo en la fluo de ĉio? Kara mia kamarado BAK! Kaj kara KIM! Kie vi ambaŭ nun loĝas? Senfine nebulo fluas.

"Ni, en la mateno de nova tago, premu la manojn refoje amece." La leteron kun tiaj mallongaj vortoj mi faligis en leterkeston, kaj atendas dum nokto; Kaj la poŝtisto, kiu solene aperas kiel grandulo, surmetante orajn butonojn kaj orajn emblemojn. Kaj lia gaja vizito kune kun mateno.

Nebulo fluas senhale ĉi-nokton.

(1942.5.12.)

사랑스런 추억(追憶)

봄이 오든 아침, 서울 어느 쪼그만 정거장(停車場)에서 희망(希望)과 사랑처럼 기차(汽車) 기다려,
나는 푸라트-폼에 간신한 그림자를 털어트리고,
담배를 피웠다.

내 그림자는 담배 연기 그림자를 날리고,
비둘기 한떼가 부끄러울 것도 없이
나래속을 속 속 햇빛에 비춰, 날었다.

기차는 아무 새로운 소식도 없이
나를 멀리 실어다 주어,
봄은 다 가고… 동경교외(東京郊外) 어느 조용한 하숙방(下宿房)에서, 옛거리에 남은 나를 희망(希望)과 사랑처럼 그리워한다.
오늘도 기차는 몇번이나 무의미(無意味)하게 지나가고,
오늘도 나는 누구를 기다려 정거장(停車場) 가차운 언덕에서 서성거릴거다.

-아아 젊음은 오래 거기 남아 있거라.

Amata rememoro

En printempomateno, en iu stacieto en Seulo, mi, atendante trajnon, kiel esperon kaj amon, faliginte mian lacigan ombron sur peronon de fervojo, fumis cigaredon.

Mia ombro forflugis la ombron de cigaredfumo, aro da kolomboj sen honto flugis, vidigante al sunradioj sian enon, enon de flugiloj.

Trajno, sen iu novaĵo, min portis al fora loko, -printempo jam pasis- en trankvila pensiono ekster urbo Tokio. Trajno sopiras min, kiu restas en malnova strato, kiel esperon kaj amon, Ankaŭ hodiaŭ trajno pasas kelkfoje sensignife, ankaŭ hodiaŭ mi, atendanta iun, senhalte paŝu ĉe monteto, proksime de trajnstacio.

-Ha, ha, juneco restu tie longe.
(1942.5.13)

쉽게 씌워진 시(詩)

창(窓)밖에 밤비가 속살거려
육첩방(六疊房)은 남의 나라,

시인(詩人)이란 슬픈 천명(天命)인줄 알면서도
한줄 시(詩)를 적어볼까,

땀내와 사랑내 포근히 품긴
보내주신 학비봉투(學費封套)를 받어
대학(大學)노-트를 끼고
늙은 교수(敎授)의 강의(講義) 들으려 간다.

생각해 보면 어린 때 동무를
하나, 둘, 죄다 잃어 버리고

나는 무얼 바라
나는 다만, 홀로 침전(沈澱)하는 것일까?

인생(人生)은 살기 어렵다는데

시가 이렇게 쉽게 씌워지는 것은
부끄러운 일이다.

육첩방은 남의 나라
창(窓)밖에 밤비가 속살거리는데,
등불을 밝혀 어둠을 조금 내몰고,
시대(時代)처럼 올 아침을 기다리는 최후(最後)의 나,

나는 나에게 적은 손을 내밀어
눈물과 위안(慰安)으로 잡는 최초(最初)의 악수(握手).

Facile verkita poemo

Noktpluvo ekster fenestro flustras, ĉambro kun ses pecoj da tatamo[14] estas en fremda lando,

malgraŭ tio, ke mi scias, ke la poeto estas trista providenco, mi verku unu linion da poemo.

Post ricevo de la koverto kun lernokotizo sendigita kune kun plena ŝvitodoro kaj amodoro, mi, kunportanta universitatan kajeron, iras por partopreni en leciono de maljuna profesoro.

Se mi rememorus; unu, du, ĉiujn geamikojn de juna tempo mi perdis. Ĉu mi nur sola feĉas, kun deziro de kio?

Vivo ja malfacilas, tial hontinde, ke ĉi tiel facile verkiĝas poemo.

La ĉambro kun ses pecoj da tatamo

---

14) traduknoto: japana planka materialo de la ĉambro

estas fremda lando, noktpluvo ekster fenestro flustras.

Lasta mi, foriginte iom da mallumo, per bruligo de lampo, atendas la matenon, kiu venos kiel la erao.

La por-la-unu-foja-manpremo, kion mi kaj mi, reciproke, etendigante miajn etajn manojn, kaptas per larmo kaj konsolo.

(1942.6.3)

봄 2

봄이 혈관(血管) 속에 시내처럼 흘러
돌, 돌, 시내가차운 언덕에
개나리, 진달래, 노오란 배추꽃,

삼동(三冬)을 참어온 나는
풀포기처럼 피어난다.

즐거운 종달새야
어느 이랑에서나 즐거웁게 솟쳐라.

푸르른 하늘은
아른아른 높기도 한데…

Printempo 2

Printemo fluas en miaj vejnoj kvazaŭ en rivereto, dol-dol[15];
Sur ĉerivera monteto forsitio, azaleo, fla-va ĉinbrasiko.

Mi, elteninta tri vintromonatojn, floras kvazaŭ herboj.

Vi, gaja alaŭdo, gaje soru el ajna sulko.
Blua etero svene, svene, ja altas......

(1942.)

15) traduknoto: sono de fluanta akvo en rojo en monto.

3부

불완전하고 생략된 시들

Parto III

La poemoj nekompletigitaj kaj ellasitaj

창공(蒼空)

그 여름날
열정(熱情)의 포푸라는
오려는 창공의 푸른 젖가슴을
어루만지려
팔을 펼쳐 흔들거렸다.
끓는 태양(太陽) 그늘 좁다란 지점(地點)에서
천막(天幕)같은 하늘밑에서
떠들던 소나기
그리고 번개를,
춤추든 구름은 이끌고
남방(南方)으로 도망하고,
높다랗게 창공은 한폭으로
가지 우에 퍼지고
둥근달과 기러기를 불러 왔다.

푸드른 어린 마음이 이상(理想)에 타고
그의 동경(憧憬)의 날 가을에
조락(凋落)의 눈물을 비웃다.

Etero

En tiu pasinta somera tago, pasia poplo svingis disvolvante siajn brakojn por karesi bluan mamon de venonta aŭtunetero, en la punkteto de la ombro el ardanta suno.

Sub tendsimila etero, dancinta nubo, kondukante bruajn subitan pluvegon kaj fulmon, forpelas sin al sudo.
Alta etero, kvazaŭ bildo, disvolvante sin sur branĉoj, vokis rondan lunon kaj sovaĝanseron.

Poplo, kun sia blue juna koro, rajdas sur idealo, en sia sopirata aŭtuntago, priridas larmon de la falo.
(1935.10.20. en Pyeongyang)

가슴 3

늦은 가을 쓰르래미
숲에 싸여 공포에 떨고

웃음 우는 흰 달 생각이
도망가오.

Brusto 3

Cikadoj en malfrua aŭtuno tremas je teroro pro ĉirkaŭigita arbaro.

Iliaj pensoj de ridanta blanka luno
jam faras forkuron.
(1936.3.25.)

참새

가을 지난 마당은 하이얀 종이
참새들이 글씨를 공부하지요.

째액째액 입으로 받아 읽으며
두 발로는 글씨를 연습하지요.

하루 종일 글씨를 공부하여도
짹자한자 밖에는 더 못 쓰는걸.

Paseroj

Postaŭtuna korto estas kvazaŭ blanka papero. Tie paseroj lernas skribi alfabetojn.

"Cek, cek." Ili vortlegas per siaj vekoj: Ili lernas skribi alfabetojn per siaj du piedoj.

Ili tuttage lernas skribi, tamen ili nur povas skribi vorton Cek.

(1936. 12.)

아침

휙, 휙, 휙
소꼬리가 부드러운 채찍질로
어둠을 쫓아
캄, 캄, 어둠이 깊다깊다 밝으오.

이제 이 동리(洞里)의 아침이
풀살 오는 소 엉덩이처럼 푸드오.
이 동리 콩죽 먹은 사람들이
땀물을 뿌려 이 여름을 길렀오.
잎, 잎, 풀잎마다 땀방울이 맺혔오.

구김살 없는 이 아침을
심호흡(深呼吸)하오 또 하오.

Mateno

Huik, huik, huik, bovvosto per sia mola vipo forpelas mallumon,
Nigra, nigra mallumo profundas, profundas, poste tagiĝas.

Nun la mateno de tiu ĉi vilaĝo bluetas kiel sidvangoj de bovo, kiu dikiĝis pro herboj.

La homoj de tiu ĉi vilaĝo, kiu manĝas fabsupon, disĵetante ŝvitgutojn, kreskis ĉi-someron.

Je folio, folio, ĉiu folio aldoniiĝis iliaj ŝvitgutoj.

Mi profunde elspiras, kaj enspiras ĉi-nefaldumigatan matenon.

(1936)

울적(鬱寂)

처음 피워본 담배맛은
아침까지 목 안에서 간질 간질 타.

어제 밤에 하도 울적하기에
가만히 한대 피워보았더니.

Soleco

La unuafoja fumgusto de cigaredo
ĝis mateno ridige tiklas en la gorĝo.
Ĉar hieraŭ nokte mi sentis min tro soleca, mi sola provis fumon unuafojan.
(1937.6)
(trovita en la dua provpoemo)

할아버지

왜떡이 씁은 데도,
작고 달다고 하오.

Avo

Japana rizkuko maldolĉas,
tamen avo diras: ĝi dolĉas.
(1937.03.10.)

개 2

"이 개 더럽잖니"
아 — 니 이웃집 덜렁수캐가
오늘 어슬렁어슬렁 우리 집으로 오더니
우리 집 바둑이의 밑구멍에다 코를 대고
씩씩 내를 맡겠지 더러운줄도 모르고,
보기 흉해서 막 차며 욕해 쫓았더니
꼬리를 휘휘 저으며
너희들보다 어떻겠냐 하는 상으로
뛰여가겠지요 나 — 참.

Hundo 2

"Ĉi-hundo malpuras, ĉu ne?"

Ha-, virhundo de najbaro hodiaŭ subite pigre vizitis mian domon, ĝi tuŝetis sian nazon ĉe la postaĵo de mia hundeto Baduk, kaj flaris ĝian odoron, ne sciante malpuron, kaj mi, pro nebona vidaĵo, kun aĉaj vortoj, forpelis tiun virhundon. Tiu virhundo, pompe svingante sian voston, elkuras kun la mieno:

"Kia estas mi, kompare ol vi, homoj?', ho- ve.

(1937, Printempo, trovita en la unua provpoemaro)

장

이른 아침 아낙네들은 시들은 생활(生活)을
바구니 하나 가득 담아 이고..
업고 지고..., 안고 들고..
모여드오, 자꾸 장에 모여드오.

가난한 생활을 골골이 버려놓고
밀려가고 밀려오고..
제마다 생활을 외치오.. 싸우오.

왼하루 올망졸망한 생활을
되질하고 저울질하고 자질하다가
날이 저물어 아낙네들이
쓴 생활과 바꾸어 또 이고 돌아가오

Bazaro

Frumatene edzinoj portas sian langvoran vivon en korbon plene jen surkape... jen surdorse... jen brakume, jen permane... kolektiĝas, plie kolektiĝas al bazaro.

Ili, ellasante vale-vale sian malriĉan vivon jen enfluas, jen elfluas... respektive, jen vivkrias,...jen kverelas.

Tuttage ili mezuras sian aŭ etan aŭ egan vivon jen per ujo, jen per pezilo, jen per liniilo.

Vespere ili, respektive, revenas portante surkape interŝanĝante kontraŭ la maldolĉa vivo.

(1937. printempo)

야행(夜行)

정각(正刻)! 마음이 아픈데 있어 고약(膏藥)을 붙
이고
시들은 다리를 끟을고 떠나는 행장(行裝).
-기적(汽笛)이 들리잖게 운다.
사랑스런 여인(女人)이 타박타박 땅
을 굴려 쫓기에
하도 무서워 상가교(上架橋)를 기여넘다.
-이제로부터 등산철도(登山鐵道)
이윽고 사색(思索)의 포푸라턴넬로 들어간다
시(詩)라는 것을 반추(反芻)하다 맛당이 반추하여
야 한다.
-저녁 연기(煙氣)가 놀로 된 이후(以後)
휘파람 부는 햇 귀뚤래미의
노래는 마듸마듸 끊어져
그믐달처럼 호젓하게 슬프다.
늬는 노래 배울 어머니도 아버지도 없나보다
-늬는 다리 가는 쬐꼬만 보헤미앤.
내사 보리밭 동리에 어머니도
누나도 있다.

그네는 노래부를줄 몰라
오늘밤도 그윽한 한숨으로 보내리니…

Nokta vojaĝo

Ĝusta momento! Ekira vojaĝo kun nevivecaj kruroj kun dolora koro, sur kiu mi metis ungventon.

-Sireno de trajno apenaŭ aŭdeble sonas.

Bela virino pelas min tabaktabak rolante surteren, tial mi tro timas, ke mi superan ponton rampe transiras:

-De nun montgrimpa fervojo, tuj poste, mi eniras en tunelon Poploj de la Penso.

La poemo devas esti remaĉata, d-e-v-a-s esti remaĉata.

-Post kiam krepuskiĝis vespera fumo,
la kanto de vespera grilo, kiu kantas fajfon, kvazaŭ la luno en lasta tago de monato, rompiĝas vorto je vorto, kio silente ĉagrenigas min.

Vi, grilo, aspekte, havas nek patrinon, nek patron por lerni kanton.

-Vi estas eta bohemiano, kiu havas maldikajn krurojn.

Mi, en vilaĝo hordeokampa, havas kaj patrinon kaj fratinon pliaĝan.

Balancilo ne scipovas kanti.

Ankaŭ ĉi-nokte mi pasigas kun profunda ĉagreno....

(1937.7.26)

(trovita en la dua provpoemaro)

비 뒤

"어 - 얼마나 반가운 비냐"
할아버지의 즐거움

가믈들엇든 곡식 자라는 소리
할아버지 담바 빠는 소리와 같다

비 뒤의 햇살은
풀닢에 아름답기도 하다

Post pluvo

"He- kiom bonvenas pluvo!"
Ĝojo de la avo.

Kreskanta sono en sekigitajn grenojn, samas al suĉata fumsono de la avo.

Sunradioj post pluvo, ja belas ĉe folioj de herbo.

(1937.7.26., trovita en la dua provpoemaro)

어머니

어머니!
젖을 빨려 이 마음을 달래어 주시오.
이 밤이 자꾸 설워지나이다.

이 아이는 턱에 수염자리 잡히도록
무엇을 먹고 자랐나이까?
오늘도 흰 주먹이
입에 그대로 물려 있나이다.

어머니
부서진 납인형도 싫어진지
벌써 오랩니다.

철비가 후줄근히 내리는 이 밤을
주먹이나 빨면서 새우리까?
어머니! 그 어진 손으로
이 울음을 달래어 주시오.

Patrino

Patrino, konsolu mian koron per via mamsuĉigo.
Ĉi-nokte mi pli ĉagreniĝas.

Per kio vivtenis ĉi-bebo ĝis apero de barbo sur sia mentono?
Eĉ hodiaŭ blanka pugno ankoraŭ restas en la buŝo.

Patrino, jam longe pasis, de post, kiam mi ne plu interesiĝas je rompita vakspupo.
Ĉu mi, per mansuĉo en buŝon, sendormu tutan nokton, dum kiam plene daŭras sezonpluvo?
Patrino! Konsolu ĉi-ploron per tiuj kompataj manoj.

(1938. 5. 28)

(trovita en la dua provpoemaro)

가로수(街路樹)

가로수 단촐한 그늘밑에
구두술같은 혀바닥으로
무심히 구두술을 핥는 시름
때는 오정 싸이렌
어데로 갈것이냐?

그늘은 맴돌고
따라 사나이도 맴돌고

Stratarbo

Stratarbo sub sia sola ombro, mia ĉagreno lekanta kornon de ledŝuo per langplato, samkiel korno de ledŝuo.

Nun-tagmezo. Sireno.
Kien mi iru?

Ombro rondiras.
Sekve ties viro rondiras.
(1938.6.1)
(trovita en la dua provpoemaro)

Tradukinte la poemaron <Etero kaj Vento kaj Steloj kaj Poemoj> 역자의 말

Etero kaj Vento kaj Steloj kaj Poemoj

Verkita de poeto JUN Dong-Ĝu
Tradukita de ĜANG Ĝong-Rjol

Kompleta Verkaro de Poeto JUN Dong-Ĝu

Etero kaj Vento
kaj Steloj kaj Poemoj

Poeto JUN Dong-Ĝu

Eldonejo SAMA

Eldonejo SAMA

<2011년 에스페란토 번역본 표지>

시인 윤동주 시집 『하늘과 바람과 별과 시』를 에스페란토로 완역하고 출간한 데는 국내외 에스페란티스토들의 적극적인 관심과 교감이 있었습니다.

만해 한용운 선생의 시집 『님의 침묵』을 번역한 뒤, 다음 번역작업이 이 작품 『하늘과 바람과 별과 시』였습니다. 2003년경이 그 시작이라 할 수 있습니다.

2007. 1.19 Monata Kunsido de Esperantistoj

PREZENTO DE LA KULTURO

[문화의 표현- 낭독을 중심으로-]

푸른 싹이여
돌아오는 길에는
꽃되어 맞으리*

— — —

Verda burĝono,
Vi estu floro, kiam
Ni venos ree.*

제 번역의 첫 나들이는 2006년 10월 한국에스페란토대회 분과 모임 "민족시인 윤동주 동시의 에스페란토 번역”(Esperantigo de la infanpoemoj de poeto Yun Dong-Ĝu)이었습니다.

2007년 1월에는 부산-양평 에스페란티스토들이 ‘문화의 표현- 낭독을 중심으로’라는 프로그램을 기획해, 문학의 밤을 열었을 때, 윤동주의 시 ‘서시(序詩)’가 에스페란토로 낭독되기도 했습니다. 그러면서 (사)윤동주선양회가 여는 문학예술제를 여러 차례 참관해 보았습니다. 또 이종현 전 부산지부 지부장님이 활동하시던 (사)<시를 짓고 듣는 사람들의 모임>에 초대되어, 윤동주의 시 “길”을 에스페란토로 낭송하기도 했습니다. 이를 통해 도서 출판 삼아 안태봉 시인을 만나게 되고, 나중에 윤동주 시집의 에스페란토 초역본(2011)이 그분 출판사에서 발간되었습니다. 초역본 표지에는 에스페란티스토이자 화가인 정병미(Inda) 님의 귀한 작품이 작가의 시풍에 맞게 실려 있습니다.

2007년 9월에는 세계에스페란토작가협회(Esperantlingva Verkista Asocio(poste Akademio Literatura de Esperanto, http://www.everk.it/)에서 저와 일본 작가 3분(Izumi Yukio, KITAGAWA Hisashi, USUI Hiroyuki)을 작가협회 회원으로 초대해 주었습니다.

이 작품을 읽는 에스페란토 독자들에게는 번역

이전 이후의 즐거움을 엿볼 수 있겠다 싶어 여기에 적어봅니다.

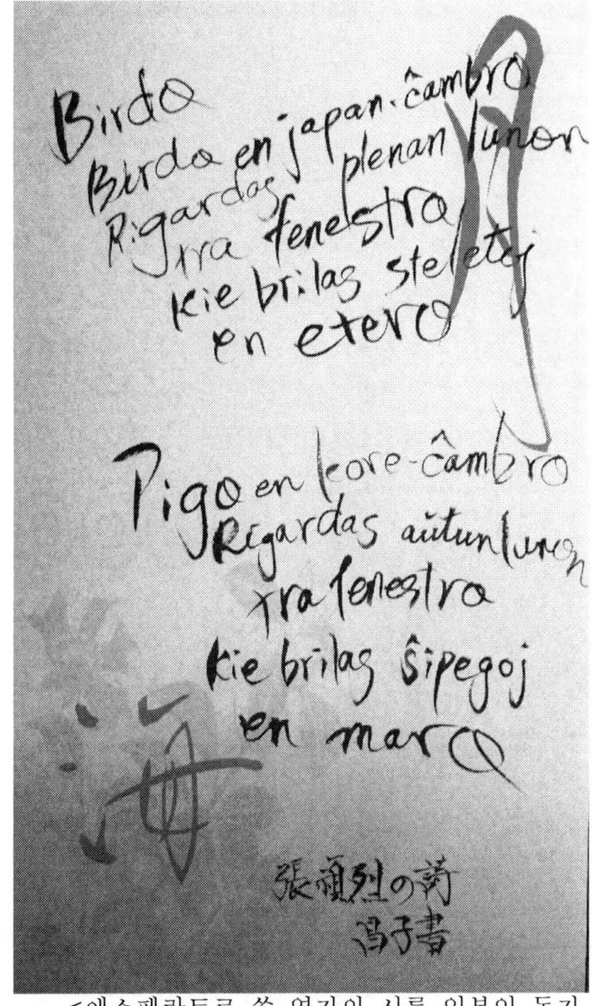

<에스페란토로 쓴 역자의 시를 일본인 독자 Take님이 서화로 표현한 작품>

먼저, 윤동주 시인의 작품을 사랑하고 윤동주 시인을 기리는 일본 후쿠오카 문학인들이 -윤동주 시인은 1944년 6월부터 1945년 2월 16일까지 후쿠오카 형무소에서 수감되어 그곳에서 순국함- 제가 에스페란토로 번역했다는 소식을 듣고는, 그곳 문학인들과 MUTO Tacuko 여사를 비롯한 에스페란티스토들이 제 에스페란토판 발간에 후원해 주었습니다. 저는 큐슈에스페란토대회에 역자로 초청을 받아, 윤동주 시인과 시에 대한 번역 소회를 함께 나누었습니다. 또 일본 오사카의 에스페란토 잡지<La Movado> 제722호에 '서시(序詩)'와 '버선본'의 에스페란토 번역본이 소개되었습니다. 그리고 일본 도쿄 에스페란티스토 독자인 Take 여사는 자신의 서예전에 윤동주의 시 독후감을 실은 제 시를 소개하기도 하였습니다.

9. 苹果

爸爸、妈妈，
哥和我，
四人分吃
一个红苹果，
连着皮儿、带着核儿。

10. 瓦匠夫妻

在一个雨天的夜晚，
瓦匠夫妻，抑或是想起失去的独子，
彼此抚摸着佝偻的背脊，
伤心痛哭泪似涌泉。

<중국어로 번역된 윤동주 시 '사과'와 '기왓장 내외' 중 일부>

또, 중국 산시성(山西省) 태원(太原)시 백양수가

(柏揚樹街)초등학교 웨이유빈(魏玉斌)교장 선생님은 자신의 수필집 『柏揚情世界眼』(2022)(아래 사진)에 제가 번역한, 윤동주의 동시 10편을 중국어로 번역 소개해 주었습니다.

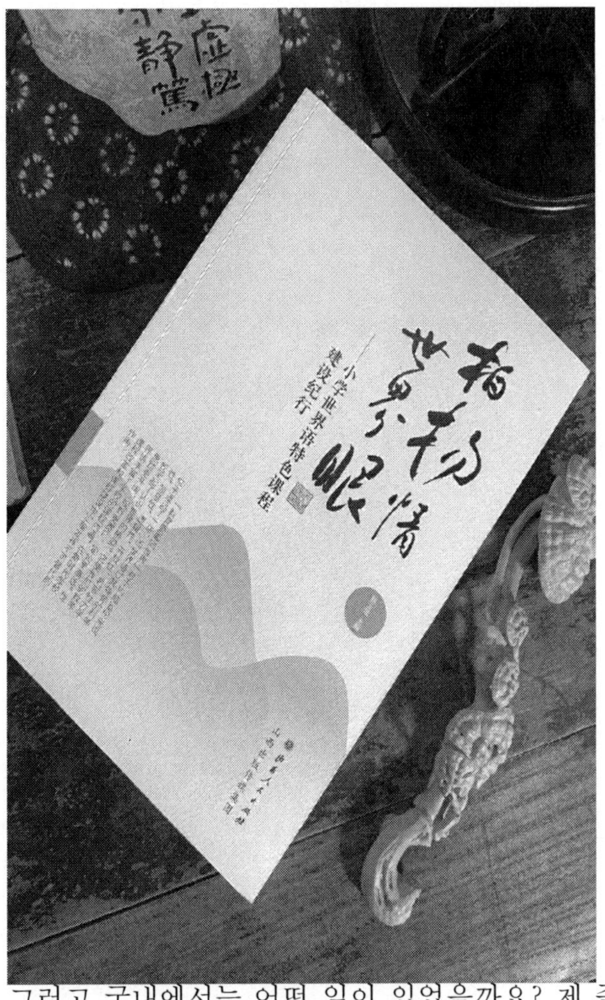

그러고 국내에서는 어떤 일이 있었을까요? 제 졸역은 2011년 출간되자 곧 부산일보(2011년 4월

8일)[16]에 소개되었습니다. 그 내용은 다음과 같습니다.

“윤동주 시집 '하늘과 바람과 별과 시'가 에스페란토로 첫 출간됐다. 시 119수, 산문 4편이 담긴 116쪽짜리 포켓판 시집이다. 3년에 걸친 치열한 번역 손품으로 완성된 에스페란토 시집은 그러나 국내보다 해외에서 그 진가를 먼저 알아차렸다.

<부산일보, 2011년 4월 8일자>

윤동주 시집 『하늘과 바람과 별과 시』 번역 출간 장정렬 거제대 교수

특히 일본 애독자들은 일부러 부산을 찾아와 수 십 권을 사갔고 내달 후쿠오카에서 열리는 큐슈에스페란토대회에 번역자를 특별강사로 초청했다. 그 화제의 인물은 장정렬(50) 거제대 조선과 초빙교수. 한

16) 주: https://www.busan.com/view/busan/view.php?code=20110408000140

국에스페란토협회 전 교육이사 겸 부산지부 기관지인 '테라니도' 편집장이기도 하다.

"고맙지요." 그는 특유의 웃음으로 화답했다.

사실 출간도 일본 에스페란티스토(에스페란토 사용자)들의 제안에 의해서였다. "번역은 지난 2005년에 일찍 끝났습니다. 하지만 출판을 망설였지요. 비용이 만만찮았거든요." 이 사실을 뒤늦게 안 일본 에스페란티스토들이 책을 사줄테니 출판하자고 제안했다. 그가 특강할 후쿠오카는 시인이 일본 경찰의 고문을 받아 순국한 곳이다. 지금도 시인을 추모하고 매달 그의 시를 애송하는 모임이 있다.

"윤동주를 흔히 저항시인으로만 이해하는데 그의 죽음에 따른 각인이 너무 강했던 까닭이 아닌가 싶어요. 오히려 그의 119수 시를 찬찬히 읽으면 20대의 젊은 감수성이 더 돋보입니다."
장 교수의 시 번역은 이번이 처음은 아니다. 지난 2003년 한용운의 '님의 침묵'을 에스페란토로 옮겨 책으로 펴냈다. 당시 이를 본 뉴질랜드의 한 에스페란티스토는 "한국인의 사랑 표현에 감탄했다"며 호의를 보내 왔다. 지난 2007년 10월 출간한 김훈의 소설 '언니의 폐경'도 당시 서울에서 열린 세계에스페란토대회에 출품해 전 세계 에스페란티스토들의 심금을 울렸다.

에스페란토를 한글로 바꾼 번역도 적지 않았다. 지난해 5월 국내에 출간된 율리오 바기(헝가리 작가)의 소설 '초록의 마음' 등이 그랬다. 중국 근대작가인 바진의 '봄 속의 가을' 한글판은 에스페란토 번역서로는 처음으로 문화관광부 우수도서로 선정됐다.

그동안 10여 권 이상의 번역서를 냈지만 인세 수입은 거의 없다. 다른 언어와 달리 수요층이 두텁지 않기 때문이다. 그럼에도 그는 번역과 출간을 멈추지 않겠다고 했다. 번역을 끝내고 출간을 기다리고 있는 작품도 수십 편에 달한다. 크로아티아 동화인 '견습공 흘라피치의 놀라운 모험'과 '침대 아래 이야기들', 헝가리 작가인 이스트반 네메레의 소설 '열정'과 '살모사', 폴란드 오제슈코바의 여성소설 '마르타'가 그런 경우다.

에스페란토에 빠진 지 벌써 30년. "지난 1981년 부산대 기계공학과 1학년 때 처음 배웠습니다." 그는 앞으로 춘향전, 흥부전 등 고전문학을 에스페란토로 옮겨보고 싶다고 했다. 또 부산에 살고 있는 만큼 동래야류와 같은 지역 문화상품도 번역할 의향이 있다고 말했다. 문제는 출판비다. "출판비만 지원받을 수 있다면 번역의 손품은 얼마든지 감당할 수 있습니다." (백현충 기자 choong@busan.com)

또 이를 계기로 (사)윤동주선양회 입회하고 윤동주 시인을 선양하는 부산의 여러 시인과 교류할 수 있었습니다. 이 단체의 2011년 "소통을 위한 윤동주 시의 모티브(Motive)"에 번역자로서 윤동주 시를 두고, 우리말로 소회를 나눌 기회가 되었습니다. 그중 일부를 소개하면 다음과 같습니다.

"윤동주 문학은 순수함을, 또 자기 내면을 더욱 파고들어, 독자에게 감동을 주었습니다. 시 작품을 읽고, 감상하며 번역하면서 느낀 점은 그 글과 시어 낱말의 선택에 있어, 오늘날 우리 젊은이가 가지는 것과 다르지 않아, 시 문학은 시대를 넘어서도 감동을 가져다준다고 할 수 있습니다. 윤동주의 '자화상(自畵像)'이라는 시를 읽으면서, 어릴 때 산골 마을에 살았던 적이 생각났습니다. 저희 마을의 한 가운데에 우물이 있었습니다. 그 우물 물을 길어 집으로 가고, 여름의 어느 날에는 사람들이 그 우물을 청소하기 위해 그 안의 물을 다 퍼내고, 사다리를 넣고서, 청소하는 주민이 그 안으로 들어가, 청소하는 모습을 보기도 했습니다. 그 우물을 에워싼 통의 벽이 1미터 높이가 되진 않아도, 어릴 때는 그 벽이 크게 보였습니다. 두레박을 이용해 물을 퍼 담다가 한 번은 중심을 잃어, 아무도 주위에 없어, 그 우물에 빠져 버릴 듯한 위험스런 때를 아직도 생생히 기억하고 있습니다. 그 우물물을 통해 본 하늘의 모습은 정말 맑았고, 그 우물 속에 비친 나의 모습을 보는 때는 즐거웠습니다. 거울이 많지 않은 시절, 남자아이에겐 거울은 별로 의미가 없었던 시절에 이 우물 거울은 하늘도 거울속에 들어갈 수 있구나 하는 것이었습니다. 시간이 지나도 그 우물이 나의 기억 속에 남아 있고, 그 기억이 윤동주의 시를 통해 다시 드러나면서, 나의 삶을 반추해 보는 거울이 되었습니다. 시가 내 삶의 거울로 나타나니, 나의 세월에 묻힌 때, 못난 얼굴, 안경마저 때로는 써야, 때로는 벗어야 제 모습을 볼 수 있습니다. 그러다 그 모습을 통해 마음의 빗질도 해 보고, 마음의 다짐도 하며, 세상에 나설 힘을 지니게 됩니다. 시가 있으니,

삶이 있고, 삶이 있으니 시를 읽게 되고, 이를 세상에 알리고 다른 언어로 만들고픈 생각이 들게 됩니다. 맛난 음식을 대하면 그 음식을 다른 사람에게도 소개하고 싶은 마음처럼….
또 다른 우물이 있었습니다. 저 산골의 다랑이 논밭의 어느 한 모퉁이를 차지하고 있는 우물입니다. 평소에는 논물이 되기도 하고, 갈수기에는 농민들의 마실 물이 되기도 했습니다. 우물이기에 차가웠고, 논에서 일하시는 부모를 위해 찬물을 가져다주는 일을 맡은 것 외에는 논에서 소년이 할 일은 별로 없었습니다. 뙤약볕이었고, 큰 주전자에 물을 가득 담고 기우뚱거리며 논둑을 거쳐 부모님이 일하시는 곳으로 그 물을 '퍼왔습니다!' 라고 할 때의 임무 완수. 어른들이 시원한 물 한 잔을 마시는 모습을 보면 정말 논밭에서의 일이 얼마나 중요한가를 당시는 모르고, 오늘에서야 시인의 글을 통해서 다시 당시를 바라볼 수 있으니, 이것이 시인과 독자의 소통이 아닐까요? 시인의 시어가 내 추억의 바탕을 가진다는 것. 그것이 곧 소통이 아닐까요?"

한편 카톡에서도 조문주 문학박사님과 이남행(Feliĉa)님 등이 제 번역을 원본 뒤이어 배치해, 낭송해주었습니다.
이번에는 '코로나 19' 기간에 진달래 출판사에서 에스페란토 본을 원본과 나란히 배치해 책으로 출간하자는 제안을 받았습니다.

역자로서는 한편 기쁘기도 하지만, 한편 조심스럽습니다.

윤동주 시집 원본과 제 번역을 어떻게 배치하고 마무리하나를 고민하고 고민하다가 올해 5월 하순에 부산 보수동 책방골목에서 윤동주 시집 『하늘과 바람과 별과 시』(1955년 판본(정음사)의 2022년 재간본(한국학자료원))를 입수하고는, 부처님오신날 전후로 시간을 내어 제 초역의 오류도 교정하고, 원본 배치 일도 마무리했습니다.

역자는, 윤동주 시집의 여러 판본이 있음에도, 이 『하늘과 바람과 별과 시』(1955년 판본(정음사)를 텍스트로 배치작업을 했습니다. 그 속에 실린 시와 제 번역을 일일이 대조해보면서, 원본 틀을 깨지 않으려고 애를 많이 썼습니다.

대역본 배치 작업을 통해 윤동주 시인의 작품 '사랑의 전당'을 읽으면서, 사랑의 감정이 되살아나고, '새로운 길'을 암송할 때는 "나의 길은 언제나 새로운 길"이라는 문구는 역자를 다시 한번 멋진 시에 감동하고, '별 헤는 밤'은 한 사람의 삶이 그대로 녹아 있는 것 같아, 역자인 저의 삶은 어떠했을까 하며 추억에 잠기게도 합니다.

시를 읽는다는 것은, 시를 다른 언어로 번역한다는 것은 독자를, 역자를 시 세계로 흠뻑 젖게 만듭니다.

해당 원본에 들어있지 않은 몇 편의 시는 부산대학교 도서관, 부산도서관과 인터넷 여러 사이트(site)를 검색하여 원본을 찾아냈지만, 그렇지 못한 경우에는 현대어로 옮긴 것을 취하기도 했습니다.

제가 초역 때 당시 열람했던 원본 자료는 다음과 같습니다.

『사진판 윤동주 자필 시고전집(寫眞版 尹東柱 自筆 詩稿全集)』(왕신영, 심원섭, 오오무라 마스오(大村益夫),윤인석,(주)민음사, 서울, 1999).

『원본대조 윤동주 전집 하늘과 바람과 별과詩』(윤동주(편주자:정현종, 정현기, 심원섭, 윤인석), 연세대학교출판부, 2004.).

『정본 윤동주 전집 원전 연구』(홍장학 지음, 문학과 지성사, 서울)이었고, 당시 열람한 홈페이지는 http://my.dreamwiz.com/lionaya/, http://www.poet.or.kr/ydj/, http://home.pusan.ac.kr/~citadel/ 등이었습니다.

윤동주 시집은 영어, 불어, 독일어, 일본어 번역본이 이미 나왔습니다. 에스페란토 번역본이 2011년에 발간되었고 원본-에스페란토 대역본은 이제 출간되어, 독자 여러분을 만나게 되었습니다. 아쉽게도 이번 작업에서 『하늘과 바람과 별과 시』에 실린 산문 몇 편은 빠졌습니다. 관심있는 분들은 제 번역의 초판본과 원본을 참고해주십시오.

그럼에도 이 번역에는 천학비재한 역자의 부족한 점이 드러나 보일 것입니다. 독자 여러분의 혜량에 맡깁니다.

혹시 역자에게 이 번역본을 읽은 소감을 전해주

실 독자님은 제 이메일(suflora@daum.net)로 연락주십시오.

끝으로, 이 대역 번역본 출간을 위해 수고하신 진달래출판사 오태영 대표님께 감사 말씀을 드립니다.
늘 컴퓨터 앞에서 책과 씨름하는 역자의 번역 시간을 묵묵히 지켜봐 주신 가족에 대한 고마움도 여기 남깁니다.

2023년 5월 동래 금정산의 한 줄기
쇠미산 자락에서 비오는 날에
역자 장정렬(Ombro) 올림

에스페란티스토 독자들을 위한 후기

2000년 시집 《님의 침묵》(한용운 저)의 번역본을 출간한 후 이번 《하늘과 바람과 별과 시》는 2011년 저의 두 번째 번역본입니다.

여러분도 아시다시피 실제 삶은 때로 힘들게 하고 때로 에너지와 희망을 앗아가기도 합니다. 앞서 언급한 두 작품을 읽고 번역하면서 저는 삶의 많은 격려와 에너지를 받았습니다. 그래서 제가 에스페란토로 번역하려고 생각했습니다. 한국 에스페란티스토뿐만 아니라 외국 에스페란티스토도 한국의 시를 즐기도록, 나아가 한국인의 마음과 사고방식, 문화를 이해할 수 있도록 말입니다.
페이지마다 시인 윤동주(YUN Dong-ju)의 감성어린 말이 기다리고 있습니다. 씨앗이 움트는 봄을 즐기듯 이 시집을 즐기십시오.
윤동주 시집은 영어, 프랑스어, 독일어, 일본어, 에스페란토(2011) 등 여러 언어로 번역되었습니다.

2007년 9월 요코하마에서 열린 세계

에스페란토 대회 이후 에스페란토작가협회(후에 Academia Literatura de Esperanto, http://www.everk.it/)에서 일본작가 3분(이즈미 유키오, 기타가와 히사시, 우스이 히로유키)과 저를 신입 회원으로 초대해 주었습니다.

그래서 저는 이 대역본으로 에스페란토 문학에 이렇게나마 이바지해 봅니다.

Postparolo por Esperantistoj-legantoj

Post eldono de tradukaĵo de poemaro 《La Silento de la Karulo》(HAN Jong-Un(HAN Young-Un) en 2000, tiu ĉi eldono 《Etero kaj Vento kaj Steloj kaj Poemoj》 estis mia dua publikigo de mia tradukaĵo de la poemaro en la jaro 2011.

Legante kaj tradukante la menciitajn du verkaĵojn, mi multe ricevis kuraĝigon, kaj energion de la vivo, kiu, kiel vi, ĉiuj, scias la realan vivon, jen malfaciligas min, jen forprenis de mi energion kaj esperon. Tio donis al mi ideon traduki en Esperanton. Ne nur koreaj Esperantistoj sed ankaŭ fremdlandaj Esperantistoj ĝuu la koreajn poemojn, per tio komprenu korean koron kaj pensmanieron kaj kulturon.

Sur paĝo-post-paĝo vin, legantojn, atendas la vortoj de poeto JUN Dong-Ĝu(YUN Dong-Ju). Ĝuu tiun ĉi poemaron kiel komencantan primaveron de semoj.

Tiun ĉi poemaro de JUN Dong-Ĝu estis tradukita en plurajn lingvojn: Angla, Franca, Germana, Japana, kaj en Esperanto(2011).

En Septembro, 2007, post Universala Kongreso de Esperanto en Jokohamo, Esperantlingva Verkista Asocio (Esperantlingva Verkista Asocio, poste ghi renomigis sin Akademio Literatura de Esperanto, http://www.everk.it/) bonvenigis Izumi Yukio, KITAGAWA Hisashi, Usui Hiroyuki, kaj min, kiel novajn membrojn de EVA.

Do, mi iel povas kontribui por la literaturo en Esperanto per tiu ĉi eldono.

Verkoj de tradukinto
역자의 번역 작품 목록

-한국어로 번역한 도서

『초급에스페란토』
『가을 속의 봄』
『봄 속의 가을』
『산촌』
『초록의 마음』
『정글의 아들 쿠메와와』
『세계민족시집』
『꼬마 구두장이 흘라피치』
『마르타』
『사랑이 흐르는 곳, 그곳이 나의 조국』
『바벨탑에 도전한 사나이』(공역)
『에로센코 전집(1-3)』

-에스페란토로 번역한 도서

『비밀의 화원』
『벌판 위의 빈집』
『님의 침묵』
『하늘과 바람과 별과 시』
『언니의 폐경』
『미래를 여는 역사』(공역)

-인터넷 자료의 한국어 번역

www.lernu.net의 한국어 번역

www.cursodeesperanto.com,br의 한국어 번역
Pasporto al la Tuta Mondo(학습교재 CD 번역)
https://youtu.be/rOfbbEax5cA (25편의 세계에스페란토고전 단편소설 소개 강연:2021.09.29. 한국에스페란토협회 초청 특강)

<진달래 출판사 간행 역자 번역 목록>

『파드마, 갠지스 강가의 어린 무용수』
『테무친 대초원의 아들』
『욤보르와 미키의 모험』
『대통령의 방문』
『국제어 에스페란토』
『헝가리 동화 황금 화살』
『알기쉽도록 육조단경』
『크로아티아 전쟁체험기』
『상징주의 화가 호들러의 삶을 뒤쫓아』
『사랑과 죽음의 마지막 다리에 선 유럽 배우 틸라』
『침실에서 들려주는 이야기』
『희생자』
『피어린 땅에서』
『공포의 삼 남매』
『우리 할머니의 동화』
『얌부르그에는 총성이 울리지 않는다』
『청년운동의 전설』
『반려 고양이 플로로』
『마술사』

『푸른 가슴에 희망을』
『민영화 도시 고블린스크』
『메타 스텔라에서 테라를 찾아 항해하다』
『밤은 천천히 흐른다』
『세계인과 함께 읽는 님의 침묵』
『무엇때문에』
『잊힌 사람들』